Théorie du récit

ce qu'elle dit, elle le produit
MICHELET

énoncer signifie produire
MALLARMÉ

Jean Pierre Faye

Théorie du récit

INTRODUCTION AUX *LANGAGES TOTALITAIRES*

LA RAISON
CRITIQUE DE   NARRATIVE
L'ÉCONOMIE

COLLECTION SAVOIR  HERMANN

JEAN PIERRE FAYE, né en 1925; prix Renaudot 1964
Publie, de 1958 à 1970, les séries d'*Hexagramme*.
Co-fondateur du *Collectif CHANGE*, en 1967-68.

Barnard
P
41
.F34

DU MÊME AUTEUR :

Langages totalitaires. Hermann, 1972

Hypothèses (avec Roman Jakobson, Morris Halle, Noam Chomsky, Jean Paris, Jacques Roubaud, Mitsou Ronat). Seghers/Laffont, collection *Change*, 1972

Iskra. Narration pour Lénine. Seghers/Laffont, 1972

Hexagramme. Seghers/Laffont (à paraître).

Le récit hunique. Notes pour une théorie du récit. Seuil, 1967

« Graphie de l'idéologie. Hitler et les intellectuels allemands » in :

Contributions à la sociologie de la connaissance (avec Roger Bastide, Jacques Berque Lucien Goldmann, Albert Memmi). Anthropos, 1967

Doctrines et maximes d'Epicure. Introduction. Hermann, 1965

Que peut la littérature ? (avec Yves Buin, Simone de Beauvoir, Yves Berger, Jean Ricardou, Jorge Semprun, Jean-Paul Sartre). 10/18, 1965

Couleurs pliées. Gallimard, 1965

Hölderlin. (Traduction de douze poèmes) GLM, 1965

Pouvoir, violence. Note sur le mot « Gewalt ». *Change 9*, 1971

Éclats, Le très sombre noyau. *Change 7*, 1970

Destruction, révolution, langage. *Change 2*, 1969

ISBN 2-7056-5695-2

© 1972 HERMANN, PARIS

TABLE

PROLOGUE

Ils demandent conte aux
exécuteurs des biens
BEAUMANOIR

Nous ne connaissons qu'une seule
science, la science de l'histoire...
divisée en histoire de la nature et
histoire des hommes

MARX

1. Parce que l'histoire ne se fait qu'en se racontant, une critique de l'histoire ne peut être exercée qu'en racontant comment l'histoire, en se narrant, se produit.

Ce qui se développe ici ne se ramène ni au discours philosophique ni à l'enquête empirique, mais de part en part se constitue en narration critique. Celle-ci met en jeu son objet en le *rapportant* : par elle on entre dans ce rapport tout premier de la pratique humaine avec ce qu'elle porte dans ses mains, ou touche du doigt. Mettre à découvert ce rapport ne peut se faire qu'en entrant entièrement dans la pratique narrative, sans « s'élever » au-dessus d'elle à aucun moment sous le prétexte de discourir sur tout autre objet, puisque c'est elle qui nous donne, par le « rendre compte » — ou le « demander conte » —, ce rapport à l'objet et ce rapport *de* l'objet qui ouvrent toute possibilité.

2. Et puisque la narration noue : il se trouve qu'elle raconte ici la plus dangereuse des secousses, qui a parcouru, sous les formes de la deuxième guerre mondiale, tout à la fois l'histoire de la nature et l'histoire des hommes. Mais cette narration n'est pas simplement, ou strictement, « historienne » : elle raconte les narrations qui ont rendu possible cet objet inracontable, nommé le Reich hitlérien. Car narrer l'ascension hitlérienne est impossible si l'on veut se limiter à dénombrer les suites des faits : la série des actions (ou événements), la série des discours qui les précèdent ou les suivent, la série des mouvements dans les rapports de production et d'échange — disons : la nuit des longs couteaux, le discours du 13 juillet, le « miracle financier » — ne sont pas des séries parallèles, qui seraient plus ou moins en corrélation. Le discours de juillet appartient aussi à ce qui *produit* la nuit de juin, dans la

mesure où il ramasse les récits qui, d'avance, en ont dessiné les pôles de sens et d'action, le champ de possibilité en même temps que l'acceptabilité. Cet agrandissement progressif et saccadé, dans l'acceptabilité de l'action et du discours des nazis, est lié à la façon dont le champ est envahi, dans une propagation oscillante, par leur façon de raconter. Et cette façon contribue à façonner les registres les plus « réels », où se manipulent les conditions du « redressement » économique allemand : conditions, en même temps, de la première guerre planétaire qui vient.

Narration qui va de la *périphérie* vers le *centre :* « centre invisible » sur quoi les narrateurs en action s'interrogent, avant de le voir soudain prendre un nom.

3. Cette narration des récits, ou ce *surrécit*, dégage en même temps les prémisses de sa propre science : elle est elle-même la première expérimentation de cette narratique générale en quoi les comptes (ou contes) des experts économiques, et l'action qu'ils exercent, sont aussi enveloppés. Plus précisément : elle constitue au passage plusieurs démarches qui pourraient bien être des préalables à une science possible, et à ses différents degrés.

L'une, qui est de sociologie empirique. Qui relève de ce que Bataille, au temps du *Collège de Sociologie*, eût désigné à la fois comme sociologie du pouvoir et « sociologie sacrée » — donc acharnée sur ce « lot proprement *sacré* des bipèdes que nous sommes » (Leiris), autrement dit le langage. Une sociologie des langages : premier degré, tout empirique, de la science à constituer.

Mais ce degré-là débouche sur le problème proprement théorique d'une sémantique de l'histoire. Car l'histoire se joue bien dans la « fureur du jeu phonique [1] », et de ses « procédés graphiques [2] » — mais dans la mesure où ils sont à chaque moment articulés par la syntaxe narrative et son interprétation sémantique. La discussion contemporaine, et inachevée, entre Postal et Chomsky tend à conclure par la récusation de toute prétention à une « sémantique générale »; mais aussi par les possibilités de sémantiques régionales, éventuellement jointes : celle, par exemple, des langages idéologiques, celle de la « langue des marchandises » (Marx).

Le troisième degré est celui qui rend possible et démonte en même temps les précédents : c'est celui de cette *critique* de la raison — et de l'économie —

[1] Jakobson.
[2] Mukařovský (in *Change 3*, p. 90).

narrative, qui met à découvert les conditions de la production et de la circulation des récits, et leur pouvoir propre. La critique de la narration s'y fait par la narration critique, bien qu'elle l'enveloppe en chacun de ses moments.

4. De tout cela, et par ironie, on peut dire que s'y esquisse, pour le siècle en cours, son épopée critique... Ce siècle que la Révolution d'Octobre a « rempli de sens et de contenu [3] ». Sans oublier que Marx, annotant son projet inachevé d'écrire un roman, indiquait les raisons qu'avait eues la forme romanesque de se substituer, dans la société bourgeoise, à l'ancienne épopée. Mais l'empire du « roman », décalqué d'abord sur les éclats d'un certain empire romain, se disloque avec les empires successifs qui l'ont accompagné : il éclate en même temps que l'impérialisme des langues.

Il laisse maintenant apparaître la trame nue d'un *epos* plus fondamental, qui est parole (Iliade) ou ligne d'écriture (Isocrate) tout à la fois, et prosodie générale des langages.

Car voici l'essentiel : ce sont les coupes, ce sont les rejets d'une chaîne de langage à une autre, — c'est une sorte de « prosodie » des langues politiques que l'on trouve, ici, liée à l'engendrement de l'action.

3 Pasternak.

PARTIE I

Théorie du récit

> La nation française quasi en tout, se
> conforme à celle d'Allemagne, aussi en
> est-elle issue et venue, c'est assavoir
> de Sicambres, *comme les historiographes*
> *anciens récitent.*
> *Déclaration de candidature du*
> *Roi de France à la couronne impériale,*
> *rédigée par le cardinal Duprat*

les récits... devoient changer
la face des nations
    MABLY,
    Observations sur
    l'Histoire de France

> cette parole ... ce fut l'énergie ... devenue visible
> MICHELET, *Histoire de la Révolution*

énoncer signifie produire : il hurle
ses démonstrations par la pratique
MALLARMÉ, *Crayonné au théâtre*

Il y a une évidence toute primitive à rappeler : c'est que « l'histoire » est d'abord une narration. L'histoire d'une certaine nation d'occident couramment désignée par le mot France, c'est d'abord un enchevêtrement de récits parmi lesquels domine celui qui fait de ses habitants les descendants des Troyens. Cette version, la plus générale alors, ne disparaît pas entièrement des « livres d'histoire » avant le milieu du siècle des cartésiens.

I. LA NARRATION

Dans les mêmes années l'un de ceux-ci, en appendice aux Principes de la Philosophie qu'il avait « démontrés à la façon des géomètres », note qu'au degré premier de la connaissance, « la première signification de *Vrai* et de *Faux* semble avoir tiré son origine des récits ». Puisque l'on dit « vrai un récit quand le fait raconté était réellement arrivé; faux quand le fait raconté n'était arrivé nulle part ». De ce sens-là, ajoutait l'Appendice spinoziste, on est passé à celui que définit l'opposition entre l'idée fausse et l'idée vraie : les « idées » ne sont pas autre chose en effet que « des récits ou des histoires de la nature dans la pensée ». Par la pratique du récit se constituent les éléments fondamentaux de la fonction logique dans le discours. Mais, en même temps, cette pratique est donnée comme la réalité même : mettre en doute aux yeux du public d'alors ce qu'on a appelé sa chère descendance troyenne, c'est commettre « un grand crime », et qui le commettrait « seroit en danger ».

Le statut dangereux du récit est déjà sous nos yeux. Il est cette simple forme, sans poids ni matérialité, de la narration — mais il est en même temps ce qu'il rapporte : le réel même, dans sa matérialité. Il est le simple langage,

— et il est la « première signification » du Vrai et du Faux à son origine, qui se rapporte, hors du texte, à la matérialité du fait, ou à la cohérence des règles de pensée. Le récit de « la chère descendance troyenne », depuis Grégoire de Tours jusqu'aux Chroniques de Saint-Denis, est fiction, — mais il est, pour des siècles de croyance commune, l'histoire même, de la réalité. Cette réalité du récit est l'objet d'une croyance unanime qui vénère, comme le fondateur de la nation française et son premier souverain, le fils d'Hector, Francion — mais dans les moments où elle est devenue également objet de critique et de sarcasme, « Francion » justement va fournir son titre, chez Charles Sorel [1], à un récit de fiction qui voudra se donner, tout à la fois, comme une « histoire complète et vraie » à travers « le conte de quelqu'un qui a été trompé ». L'instance d'une pénétrante et âpre « philosophie » ou réflexion critique sur la fiction narrative est contemporaine du moment où l'on s'est mis franchement à rire des récits troyens du roi Francion. Le développement qui, à partir de la Renaissance, tend à constituer ce que l'on désigne autour de 1840 comme une science nouvelle, doit prendre pour objet premier de sa critique l'origine troyenne des Francs.

Mais c'est le moment même où se précise le danger du narratif. La disparition de la narration troyenne fait apparaître cette donnée que viendront souligner les grands énoncés méthodologiques des années saint-simoniennes : c'est que chacune des classes de la population véhiculait alors son *système* de narration. Selon celle de la noblesse, la formation du Royaume a été acquise par les combats de la conquête franque et « non par le droit écrit ». Celle de la bourgeoisie urbaine et du clergé oppose, à ce « droit odieux » ou « droit haineux » des coutumes orales, le droit *écrit* des villes romaines. Avec Hotman le protestant, à qui se référera le Dictionnaire Historique de Bayle, les versions se renversent et se croisent. S'abritant derrière la fonction de « simple narrateur et scripteur » — *scriptor et simplex narrator, tantum relator et narrator* — il attribue à la conquête franque le rôle de libérateur des franchises populaires, grâce à quoi, pour un temps, le peuple fut « le vrai souverain ». L'antinomie fameuse entre le Comte de Boulainvilliers et l'abbé Dubos, décrite dans l'Esprit des Lois, met en balance deux systèmes dont l'un semble être une conjuration contre le Tiers-état, et l'autre une conjuration contre la noblesse — et cependant à lire le premier, notait Montesquieu, on croit entendre un compagnon de Clovis « qui raconte les choses qu'il vient de voir et celles qu'il a exécutées ».

1 *Histoire comique de Francion.*

Mais, à nouveau, le système narratif de Mably va entrecroiser délibérément les versions.

Car d'une part il récuse, dans ses *Remarques et Preuves*, ce qui est chez Boulainvilliers le conte fondamental : « Pourquoi Loyseau dans son *Traité des Seigneuries*, chap. I, § 55 et 69, prétend-il donc que les Francs ôtèrent aux Gaulois l'usage des armes, et en firent leurs esclaves ? M. le Comte de Boulainvilliers a bâti, sur cette prétendue servitude, tout son système de notre ancien gouvernement. Je réfuterai cette erreur dans les notes suivantes, en parlant des franchises de la nation gauloise sous le gouvernement des François. » Mais d'autre part il retient, dans un tel système, ce qu'il perçoit comme la « forme démocratique » du gouvernement franc avant et après le passage du Rhin : le champ de mars carolingien, il le décrit donc comme « l'assemblée de la nation », comprenant des « hommes du peuple ». Amputé de son conte fondamental, le système de Boulainvilliers est divisé, retenu dans son ensemble, mais pour être transformé radicalement : en cette conjuration du Tiers état contre la noblesse, à quoi se ramenait le système de l'abbé Dubos. Mably prélève chez Boulainvilliers la version de cette république germaine qui se serait transplantée en Gaule, pour y devenir « le type idéal et primitif » de toute constitution française, passée et à venir. De Dubos, il retient la version de la ruine que l'envahissement par la noblesse a introduite dans toute institution civile. A Boulainvilliers il emprunte la tradition aristocratique du combat contre l'absolutisme royal ; à Dubos la tradition bourgeoise et populaire de la lutte contre l'aristocratie. Et sans doute la critique qu'élèveront les grands pionniers — post-saint-simoniens — de la méthode historique, Augustin Thierry tout particulièrement, ne sera pas moins sévère envers Mably qu'envers la « *prétendue narration* » de Hotman. Mais de son propre aveu, il reste que c'est Mably — « par le faux et par le vrai, par l'histoire et par le roman » — qui va contribuer plus que tout autre à susciter ce qu'elle nomme l'excitation révolutionnaire. Pour Thierry le saint-simonien, c'est le « roman » de Mably qui *fit entrer dans le langage* des mots comme patrie, citoyen, volonté générale, ou souveraineté du peuple. C'est ce langage, ce sont ces mots, et ces « chimères historiques » qui, poursuit-il, ont contribué à nous faire devenir ce que nous sommes : à « préparer l'ordre social » qui règne à la date où l'histoire tente, précisément, de se constituer comme méthode et comme science. Cet ordre social n'est autre, à cette date, que celui de Louis-Philippe d'Orléans, roi des Français. Mais l'auteur même qui l'aurait préparé ainsi par son langage, et les chimères de son *roman*, est en même temps celui dont, moins de quarante ans plus tard, Engels évoquera « les théories franchement communistes ». Ou encore, « le socialisme moderne... sous sa forme théorique ».

La lutte des versions narratives emporte avec elle — ou rapporte — le poids redoutable de ses enjeux. Ce qu'il y eut sous l'empire et la restauration de plus franchement marqué par ce qui se nomme alors le parti contre-révolutionnaire, proposera une combinaison des deux systèmes de récit exactement inverse de celle de Mably. Elle prend cette fois à Dubos l'idée que les Francs n'exercèrent point le droit de conquête : dès lors tout ce qui compte comme hommes libres, de souche franque, romaine ou gauloise, en vient à se confondre avec le nom de Francs — face à « tous les anciens esclaves », à « ces misérables » que Gaulois ou Romains déjà tenaient en servitude. Elle prend à Boulainvilliers en revanche son récit fondamental, l'opposition entre les « hommes francs » et de l'autre « la classe des tributaires », la « classe immense » qui est appelée au partage de tous les droits de la condition franque, par les rois capétiens tout d'abord, ensuite par « la grande révolution » des communes médiévales. C'est en racontant et commentant ce système-là — le système narratif du Comte de Montlosier —, que Thierry le saint-simonien va en arriver à l'énoncé crucial que Marx viendra lire chez lui (et chez Guizot) : « lutte des classes ennemies et rivales. »

L'EFFET MABLY

Mably justement, dont le « roman » et les « chimères » narratives ont contribué à préparer *l'excitation révolutionnaire* qui en appelait tout à la fois à la « forme démocratique », selon Thierry, et à « la forme théorique du socialisme moderne », selon Engels, — lui-même nous fournit au passage [2], et comme malgré lui, le paradigme ou le modèle de ce que l'on pourrait appeler l'effet Mably.

Il s'agit pour lui, au chapitre I de son Livre Premier, de raconter « la fortune et les mœurs des François », et tout d'abord la traversée du Rhin et l'invasion de la Gaule romaine. Seule la force de l'habitude et l'exemple des pères « empêchoient cette *révolution* », qu'un événement imprévu allait produire enfin. « Quelques jeunes Huns chassoient sur les bords du Palus Méotides; une biche qu'ils avoient lancée traversa un marais qu'ils regardoient comme une mer impraticable; et en suivant témérairement leur proie,

---

2 *Observations sur l'Histoire de France*, Nouvelle Édition, 1788, Tome Premier.

ils furent étonnés de se trouver dans un nouveau monde. Ces chasseurs, impatients de raconter à leurs familles les merveilles qu'ils avoient vues, retournèrent dans leur habitation; et les récits par lesquels ils piquoient la curiosité de leurs compatriotes, devoient changer la face des nations. Jamais peuple ne fut plus terrible que les Huns. »

Mably, si soucieux ailleurs, dans ses Remarques et Preuves, de ce qu'Augustin Thierry nomme ses « citations textuelles », n'est nullement préoccupé de donner ici les sources de sa narration. Mais celle-ci dans sa naïveté, qui prend dans le contexte un degré élevé d'ironie, dessine en traits grossis fortement cette proposition initiale : il existe, dans l'histoire, un effet de *production d'action* par le récit.

Dire que l'histoire même de l'Occident commence par l'événement imprévu de ces *récits* qui devaient *changer* la face des nations — le dire ainsi, c'est, de toute évidence, styliser. Afin de rendre plus perceptible, par un fort grossissement, le paradoxe de ce quantum d'action narratif ou de cet effet. La description de Mably lui-même est occupée par des préliminaires matériels très détaillés : elle précise l'état dans lequel les « François » trouvent l'Empire romain lorsqu'ils s'établissent sur la rive droite du fleuve. Ils ne s'adonnent tout d'abord qu'à des courses ou razzias, faisant la guerre sans être conquérants. « Mais les circonstances changèrent bientôt; les provinces appauvries et presque désertes ne valurent plus la peine d'être pillées; et les empereurs, dont les finances étoient épuisées, ne furent plus en état d'acheter la paix. » Aux circonstances écologiques et budgétaires s'ajoutent des précisions de nature plus proprement économiques. « Cependant les barbares, qui s'étoient fait de nouveaux besoins par le commerce qu'ils avoient avec les Romains, devoient peu à peu se dégouter de cette nouvelle situation; il falloit qu'ils prissent de nouvelles mœurs et se fissent une nouvelle politique. » Ainsi, au commencement et sur la rive droite du Rhin, sont les conditions et les modes — changés — de la production matérielle et de l'échange. Ensuite, ou soudain — et par là se déclenche la soudaine « révolution » de ce passage du Rhin — intervient l'événement imprévu de ces « récits » qui vont « changer la face des nations » : de cette production d'action supplémentaire et, pour ainsi dire, discontinue, par *l'effet de récit*.

Effet de récit qui est également effet de « chimères » ou, dans la langue spinoziste, de fiction. Car la narration du nouveau monde par les chasseurs huniques est chimère sans doute, au moins à quelque degré. Plus évidemment encore que cette « prétendue narration » de François Hotman à laquelle s'attache tant d'influence politique sur le parti bourgeois de la Ligue, influence paradoxale chez ce protestant. Ou que les « chimères historiques » de Mably lui-même, dont la conclusion était ce rétablissement des états généraux qui fut « aussitôt suivi d'une immense révolution ». Cet effet de la narration sur l'action qu'elle est en train de narrer — cet effet qui passe par la fiction, « par le faux et par le vrai, par l'histoire et par le roman » — voilà la précise énigme qu'il pourrait s'agir d'explorer.

LE CHANGE

Ainsi sur la rive — sur la base — des circonstances *changées*, des récits vont *changer* la face ou la forme des nations : faire que, soudain, soit franchie la ligne du fleuve, et celle de l'instant ou de « l'événement imprévu ».

Dans la trame même des changements matériels se tissent ainsi ces changements de la « face » (ou de la « forme »), produits *par* la forme narrative elle-même. L'économie qui s'articule ici n'est pas sans rapports avec celle que Marx analyse dans cette séquence du Livre Premier du Capital qui a disparu dans la version française de Joseph Roy : « Nous avons à considérer le procès entier du côté de la forme, c'est-à-dire seulement du *changement de forme* ou de la métamorphose des marchandises, qui médiatise le changement matériel dans la société [3]. » On sait que par changement de forme, Marx entend ici cette métamorphose à travers quoi l'objet marchand passe de sa forme naturelle de chose brute à sa forme monnaie : à travers le simple fait de changer de mains. C'est ce procès formel qui fait du simple déplacement matériel une méta-morphose ou une trans-formation. En entrant dans l'échange, la production matérielle par le travail humain va inscrire, derrière le secret des objets marchands, le « hiéroglyphe social » de la valeur. Telle est — née de ce change de forme qui « chaque fois s'effectue par un échange » — la langue des marchandises, la *Warensprache*.

Chacun de ces changes de forme, écrivait Marx, « s'accomplit par un échange entre marchandise et monnaie ou par leurs *changements de place réciproques* ». Toile contre livre : pour le tisserand qui vend sa toile, achète sa bible, les mêmes pièces d'or changent deux fois de place, la première fois contre la toile, la seconde fois contre la bible. Transformation de la

3 Wir haben also den ganzen Prozess nach der Formseite zu betrachten, also nur den *Formwechsel* oder die Metamorphose der Waren, welche den gesellschaftlichen Stoffwechsel vermittelt. (*Das Kapital*, I. Buch, 1, 3, 2, a. Dietz Verlag Berlin 1957, p. 109.) Traduction dans *Change 2*, p. 81-83, de ce texte demeuré curieusement « inédit » en langue française.

marchandise en argent, et retransformation de l'argent en marchandise : dans les deux sens la monnaie ne se meut et ne fonctionne qu'au titre de « forme valeur » des objets marchands, et cette perpétuelle transformation des objets utiles en valeur « est un produit social tout aussi bien que le langage » — *so gut wie die Sprache.*

Sur la base matérielle de l'histoire (sur la rive solide du fleuve, qui n'a pas encore été franchi), voici que l'échange et la circulation des langues narratives font intervenir ce qui soudain — et de façon aussi discontinue que le changement de mains — change la « face » des choses ou des peuples : voici, soudain, des circonstances changées. Les rythmes de la sécheresse au centre de l'Asie, les structures fiscales d'un empire méditerranéen et les états de pénurie qui lui répondent, sont mises en rapport subitement, par une grande circulation de langages : et l'histoire commence pour l'Occident. Ainsi la cerne le « modèle de Mably » — ou plus exactement le *modèle de Thierry :* modèle primitif, et demeuré impensé, de l'histoire en voie de se *constituer en théorie.*

A partir du franchissement du Rhin, l'objet d'histoire entre, d'une façon qui n'est pas sans rapport avec celle de l'objet marchand, dans une économie générale des ensembles *productifs* et *narratifs* (ou formels) tout à la fois.

Car la langue qui s'échange « sur les bords des Palus Méotides » a pour base cette toute primitive production de biens à consommer qu'est la mise à mort des animaux [4]. Mais rapporter (ou non) la biche, c'est en même temps « rapporter » à l'autre le chemin qui a été emprunté. L'histoire commence avec ce double procès : changement matériel et échange, ou change de forme. La chasse elle-même est donnée avec son langage, qui, à son tour, va en changer la « face » et va être ce qui rend possible le changement matériel dans le groupe humain — mais à condition de se transformer.

Et curieusement la narration troyenne originelle, par ses métamorphoses mêmes et sa progressive destruction, appartient à ce procès [5].

4 « Nous pourrions nous dire que la chasse est le résultat du travail » (Bataille, *L'érotisme*). Mais l'interdit de la mise à mort, sa transgression et l'expiation qui lui est liée entraînent à leur suite cette réponse, selon Bataille, qu'est le « jeu de la figuration », le récit graphique : le geste ou l'écriture de la narration — la grille de Lascaux.
5 « ... Les Franks... on les croyait issus des compagnons d'Énée ou des autres fugitifs de Troie, opinion étrange, à laquelle le poème de Virgile avait donné sa forme, mais qui, dans le fond... se rattachait à des souvenirs confus du temps où les tribus primitives de la race germanique firent leur émigration d'Asie en Europe, par les rives du Pont-Euxin ». (A. Thierry, *Considérations sur l'histoire de France*, chap. I).

La narration « troyenne », c'est donc le dernier état et la première inscription de ce que l'on pourrait appeler le moment du récit des Palus Méotides. Mais en sens inverse, elle est l'état tout premier d'une transformation narrative qui va passer par la « prétendue narration » de François Hotman ; par celles, opposées, de Boulainvilliers et de Dubos ; par celles, qui les entrecroisent différemment et les combinent, de Montesquieu et de Mably, — pour conclure à ce rétablissement des états généraux que suivit « une immense révolution ».

LUTTE DES CLASSES, « LUTTE DES RACES »

Les « chimères » de la narration que vient suivre *l'immense révolution* ont été relayées par une version tout autre : celle que le premier consul alla chercher, et littéralement commander « dans le parti contre-révolutionnaire », chez M. de Montlosier. Là, exposera Thierry, se construit un langage, ou « l'emploi d'une phraséologie », qui en cours de procès « substitue à l'idée de classes et de rangs, celle de peuples divers » ; qui « applique à la lutte des classes ennemies ou rivales le vocabulaire pittoresque de l'histoire des invasions et des conquêtes ».

Mais à son tour un tel *vocabulaire pittoresque* et sa phraséologie vont se transformer. Pour aboutir finalement à la forme la plus brutale des énoncés de cette substitution — « Ils voulaient la lutte des classes : ils auront le combat des races, jusqu'à la castration [6] ».

Conséquente avec elle-même à cet égard est la narration des deux comtes, de Boulainvilliers et de Gobineau. « Les Gaulois, dit l'un, devinrent sujets, les François furent maîtres et seigneurs. Depuis la conquête, les François *originaires* ont été les véritables nobles et les seuls capables de l'être. » Et si, reprend l'autre, « la valeur intrinsèque d'un peuple *dérive de son origine,* il fallait restreindre, peut-être supprimer tout ce qu'on appelle *Égalité* ». Le Comte de Gobineau vient d'exposer la grande découverte qu'il prétend attribuer à la Science : « le fait résultant de la race. » A partir de cette « phrase », comme il l'appelle, il affirme que sous ses yeux les découvertes particulières s'accumulaient, pour lui parler raison : « la *géographie racontait* ce qui s'étalait à sa vue. » Le pernicieux Essai en six livres va étaler devant le public français indifférent ce vaste conte géographique, dont le lecteur allemand à la fin du siècle va être soudain inondé, à partir de points

6 Lanz von Liebenfels (voir *Langages totalitaires,* Livre II, Partie II).

Théorie du récit

d'émission ou de retransmission constitués par Richard Wagner et ses « Bayreuther-Blätter ».

Ainsi le langage contradictoire de la « prétendue narration » — qui court de Hotman à Boulainvilliers et Dubos, de Mably à Sieyès et Montlosier, jusqu'à Guizot et Thierry — le voici soumis à un déplacement qui le fait changer de langue, et franchir le Rhin, en sens opposé à la traversée des Francs. Ce déplacement narratif en a changé le sens en même temps; mais cela, en rapport avec tout un contexte ou, plus précisément, un *hors-texte* [7] que détermine toute une chaîne de changements matériels.

Ce que Mably eût appelé des circonstances changées; ce que la conception matérialiste de l'histoire désigne comme un bouleversement matériel dans les conditions de la production sociale, remplit et détermine l'intervalle entre le moment de la narration boulainvillienne ou gobinienne et celui des « Feuilles de Bayreuth ». En l'an 1873 éclate ce que les Viennois nomment aussitôt le *Grosse Krach*, dans l'univers économique du capitalisme occidental. Quelques années plus tard les « Cahiers Antisémites » d'un certain Wilhelm Marr disséminent dans un certain public le néologisme en forme d'épithète qui leur tient lieu d'intitulé.

Car c'est sur la base d'une certaine révolution matérielle — *Umwälzung* est chez Engels et Marx le mot proprement allemand pour traduire sur le plan économique le terme trop français de révolution — que cette narration se déplace de lieu en lieu, et de chaîne en chaîne, à partir de ce qui était en France de façon caractéristique un message manqué par le « parti contre-révolutionnaire ». Les transformations de la *prétendue narration*, — disons : entre Hotman le protestant ou Bodin l'économiste, et Montlosier ou Gobineau — sont en corrélation, précise et énigmatique chaque fois, avec le champ en quoi se propagent ce qu'il est convenu d'appeler des mouvements économiques de longue ou de moyenne durée. Ces mouvements que Sismondi et Clément Juglar, puis un certain Marx encore une fois, furent les premiers à percevoir, à travers leurs instants de crise ou, de façon plus précise, de retournement, — ces mouvements décrivent sur le sol de l'histoire, de sa base réelle, des tracés bien déterminés. Le rapport entre ces tracés réels d'une part, et de l'autre le dessin des narrations, voilà ce qu'il s'agit en dernière analyse de percevoir avec précision.

Mais auparavant, et dans ce but, il importe de cerner de plus près ce paradoxe fondamental de l'histoire, sur quoi sans cesse achoppe la pensée,

7 Au sens de Iouri Lotman, « Poétique structurale » (in : *Change 6*).

mais sans l'avoir jamais rendu explicite pleinement : que l'histoire — le mot : « histoire » — désigne à la fois un procès ou une action réelle, et le récit de cette action. Récit qui tout à la fois énonce l'action — et la produit. Puisque là, à chaque moment, et de façon comparable à la scène de théâtre, décrite par les Divagations mallarméennes, « énoncer signifie produire ». Plus précisément : le *procès* même de l'histoire se manifeste en chaque instant comme double — *action* et *récit*.

L'ÉNONCÉ NARRATIF : MYTHOS CONTRE LOGOS

Dans le sillage de ce que prétendument « la géographie racontait » au Comte de Gobineau, on pourra lire à partir de l'an 1933 l'une des revues qui, sur le mode intellectuellement le plus bas, s'attachent alors à poursuivre la narration gobinienne portant sur la prétendue inégalité des races humaines : cette revue se nomme « Peuple en devenir » — *Volk im Werden* — et son fondateur est un certain Ernst Krieck. Dans plusieurs textes des années 34 à 40 — dirigés principalement contre une pensée qu'il considère comme sa rivale dans la lutte pour le statut de philosophe officiel du national-socialisme, et qu'il fait mettre en accusation sous cet angle dans les services de Rosenberg à la Direction de la Vision-du-monde pour le Reich : celle de Martin Heidegger — il s'en prend avec véhémence à ce qui, selon lui, est inauguré par l'apparition grecque du Logos et du concept. Avec les « apprentis-sorciers du Logos » s'ouvrirait « la période du Nihilisme occidental : la période de la plus longue erreur et de la plus longue errance » (des längsten Irrwahns und Irrweges).

Avec la philosophie grecque et son prolongement occidental « commence le refoulement [8] du Mythe par le Logos ». A partir de là, et désormais, « court le Nihilisme ». En même temps et par cet avènement du Logos, commence « le jugement et la décision » sur le rapport « entre vrai et non-vrai » : de là « procède toute la logique formaliste qui domine les esprits depuis Parménide jusqu'à nos jours ».

De telles séquences laissent percevoir des parentés, des homologies

---

8 Es beginnt die Verdrängung des Mythos durch den Logos (*Volk im Werden*, 15 octobre 1940). On peut être surpris de voir usité, dans pareil contexte, un terme clé du lexique freudien. Sans doute faut-il l'entendre ici dans son sens pré-analytique, repris à ce « lot de concepts philosophiques » dans lequel Freud a puisé, et auquel Louis Althusser a fait allusion.

mêmes, avec plusieurs chaînes de discours qui sont leurs contemporaines dans l'idéologie allemande de l'entre-deux guerres [9]. Mais qu'est donc ce Mythos que « refoule » le Logos, et qui sont donc ces « funambules du pur Logos »? C'est que, précise Krieck, « le Mythos raconte » — *der Mythos erzählt.* Le Logos au contraire « ne veut pas raconter, mais juger et décider ». Pour le philosophe, un « énoncé narratif », un *erzählende Aussage* — comme par exemple : les Grecs ont vaincu Troie — n'a ni sens ni valeur : Mythos et non Logos. Si naïve, et pernicieuse, est la confusion de Krieck, doctrinaire du peuple en devenir, qu'il identifie immédiatement ce Mythe et l'histoire. « Le Mythe raconte, il raconte du commencement jusqu'à la fin, depuis la montée jusqu'à l'abaissement : il raconte l'événement, l'histoire au sens le plus large : l'Histoire. »

Identifier le mythe avec l'histoire, puis décrire comme refoulement du Mythos par le Logos l'intervention du jugement (qui, en décidant « entre vrai et non-vrai », aurait ainsi « *refoulé et violenté* [10] » l'énoncé narratif) — c'est effectivement dévoiler avec une présomptueuse naïveté le terrain choisi par Ernst Krieck pour déployer son ordre de narration mythique. Celle-ci est donc introduite expressément dans le champ politique par ce représentant caractéristique de l'idéologie allemande dans l'entre-deux guerres, marqué par une trajectoire qui l'a conduit des clubs conservateurs — plus précisément : du Club Jeune-Conservateur des années 20 — jusqu'au parti national-socialiste des années 30. Rarement a été plus péremptoirement affirmé qu'une idéologie régressive se manifestait comme un « énoncé narratif » placé a priori hors de la distinction « entre vrai et non-vrai », sous le prétexte caractéristique de surmonter son « refoulement » par le Logos ou la *ratio.* Qu'une idéologie proclame ainsi s'être « insurgée contre le Logos » (aufgestanden gegen den Logos), pour retourner au stade, prétendument refoulé, où il n'y a *pas d'énoncé vrai*, cela même donne aux textes de l'absurde Krieck, en dépit de leur indigence intellectuelle, une valeur d'indice.

Qu'est-ce donc que cette narration qui n'est pas « vraie », et qui — « avec notre vision du monde », affirmait Krieck — s'est insurgée contre le Logos et le concept ? Ce terme de vision du monde, si cher aux nazis, et dont l'adjectif intraduisible en français est rendu habituellement par le mot « idéologique »

---

9 Avant tout celle de Heidegger, précisément : de façon paradoxale, mais presque mot à mot.

10 *Verdrängt und vergewaltigt.* Cette notion d'un « refoulement par le Logos » a fait dernièrement de singulières réapparitions.

— ce terme connote ici de façon caractéristique l'énoncé narratif. Une idéologie politique met à sa source une narration au nom de quoi elle s'insurge contre le Logos — et contre sa dia-lectique. Telle est en effet la prière anti-hegelienne d'Ernst Krieck : « Seigneur, préserve-nous des dialecticiens. »

Le fonctionnement de cette narration idéologique qui est à l'œuvre en-deçà de toute différence « entre vrai et non-vrai », on peut le soupçonner d'opérer entre les lignes du récit que donne Joseph Goebbels, dans son Journal secret, de ses premiers entretiens avec celui qu'il appelle alors en allemand « Der Chef ». Au matin du 26 juillet de l'an 26, nous nous levons, écrit-il : Le Chef vient seul avec moi. « Et il raconte devant moi, comme un père raconte à ses enfants » ... *Er erzählt mir.* En ce conte prétendument paternel, on peut entrevoir les traits de la narration idéologique par quoi l'auteur du Journal secret va se trouver mis en mouvement, pour finir, en direction de Berlin. « Il raconte (...) Et toujours, à grands traits, mettant en scène la vie. » On peut présumer que cette « vie » est en même temps histoire, si l'on se réfère à ce qui deux jours plus tôt est noté : « le Chef parle sur les questions de la race. » Les prétendus traits de la vie rejoignent ce que la géographie racontait au comte de Gobineau. Le terme de cette narration des narrations, dans le Journal secret du petit Docteur, ce sera : « Maintenant, *dans une* semaine, on sera dans la capitale du Reich. » Le conte prétendument paternel qui est conté au petit docteur, et qui déjà le tire vers le « combat pour Berlin », est une narration qui n'est pas vraie, mais qui se fait *active* redoutablement.

Tel est donc l'énoncé narratif qui s'insurge contre la différence « entre vrai et non-vrai », et telle est, prise sur le vif, la marche de cette narration idéologique vers « le grand désert d'asphalte » berlinois, décrit d'avance avant son départ par le dernier texte du petit Docteur, intitulé «Prolétariat et Bourgeoisie », qui reprend et résume pour les « Lettres nationales-socia-listes », revue des deux frères Strasser, le combat contre l'ennemi principal : le marxisme.

RÉCIT MYTHIQUE, NARRATION CRITIQUE

Les Allemands, disait Marx dans l'Idéologie allemande : peuple d'hommes « sans présuppositions » ... On peut constater qu'à la date où sévit la narration idéologique de Krieck et de ses amis, une certaine présupposition s'est affirmée avec eux, plus emphatiquement désignée comme vision du monde. Mais ce que les nazis allemands qualifient de « weltanschauunglich », même les nazis français devront le traduire par « idéologique ». Qu'est-ce que l'*idéologie en général*, demandait Marx : *die Ideologie überhaupt ?* Cette camera obscura, cette chambre noire, où « ce que disent les hommes » est substitué aux « hommes corporels [11] », est une chambre qui n'a pas d'histoire. Si les hommes ont une histoire, c'est « parce qu'ils doivent *produire* leur vie et, il est vrai, d'une manière *déterminée* » : note jointe en marge, sur le manuscrit du marxisme [12]. Avec ce mince adverbe — zwar, il est vrai — s'ouvre un espace de multiple vérification. Car le travail, c'est ce procès entre l'homme et la nature, « à travers quoi l'homme rend possible par sa propre action son échange matériel [13] avec la nature ».

Mais la camera obscura de l'idéologie est aussi le lieu où s'amorce la production des moyens de vérification. Ainsi, dès le premier chapitre du Livre Premier, les catégories propres à l'économie bourgeoise se découvrent comme « des formes de l'intellect qui ont une vérité objective » — pour reprendre les termes de la traduction Roy — ou, plus littéralement dans le texte allemand, « des formes de pensée socialement valables, c'est-à-dire objectives, pour les rapports de production historiquement déterminés ». Ce que la traduction Roy, revue et corrigée, et entièrement assumée, par Marx, nomme vérité objective est ici défini par la relation *entre* modes et rapports de production d'une part et, de l'autre, formes de pensée.

Face aux Allemands, peuple privé de présupposés, l'économie anglaise est le lieu désormais classique où se déterminent de façon initiale un certain mode de production et ses catégories, ou ses formes de pensée. Lieu qui devient donc ainsi, souligne Marx, « l'illustration principale de mes développements théoriques » — ou la série des « exemples principaux ». Mais face aux exemples anglais, « si le lecteur allemand se permettait un mouvement d'épaules pharisaïque à propos de l'état des ouvriers anglais, industriels et agricoles, ou se berçait de l'idée optimiste que les choses sont loin d'aller aussi mal en Allemagne, je serais obligé de lui crier : *De te fabula narratur* ». Le texte allemand donnait ici une traduction entre crochets :

Über dich wird hier berichtet
C'est sur toi que c'est raconté.
(C'est sur toi que ça narre)

Or, ainsi annoncée, la narration du Livre Premier met à nu du même

---

[11] Was die Menschen sagen... die leibhaftigen Menschen.
[12] Von Marx am Rande...
[13] Stoffwechsel, littéralement : change de matière.

coup ses moyens critiques ou, ce qui est équivalent ici, ses procédés de vérification. (Notons que Roy traduit par ce dernier mot le terme de « Kritik [14] ».) La description des « exemples principaux » et, à travers eux, des « catégories » de l'économie bourgeoise et enfin, au travers de celle-ci, des « tendances » qui se manifestent avec une « nécessité de fer » — cette superposition de niveaux se rapporte finalement à un état de registre qui est celui des Commissions d'études périodiques sur la situation économique avec leurs Inspecteurs de fabrique et leurs Rendeurs de compte (ou de conte), leurs *Berichterstatter* : ceux-là, Marx l'accentue avec une grande force, sont en Angleterre, au beau milieu de la hideur et de la terreur propres à la révolution industrielle du capitalisme, armés « de pleins pouvoirs pour la recherche de la vérité » — *zur Erforschung der Wahrheit*. A travers ses niveaux différents de développement théorique, la « narration » du Livre Premier est critique, parce qu'elle s'arme de pleins pouvoirs pour rapporter les uns aux autres ses registres et, les uns par les autres, les vérifier. Narration dont les concepts — ces « récits » abstraits [15] — étaient comme la *fable critique* de l'économie bourgeoise. Ou la *narration critique* d'une fable qui avait — par son rapport déterminé à d'autres registres : ceux des Rendeurs de conte — une « vérité objective ».

Ici sont marqués avec une forte précision les degrés de la différence dans les niveaux de la narration idéologique. Au récit qui ne veut pas décider « entre vrai et non-vrai », s'oppose la narration critique qui s'arme de pleins pouvoirs pour la recherche de la vérité. Position qui est fortement liée à son en-deçà et à son par-delà théoriques et politiques : à ce texte hegelien si décisif que recopient et récrivent les *Cahiers de philosophie* léninistes : « la philosophie ne doit pas être le récit de ce qui se produit : elle doit chercher à connaître ce qu'il y a de *vrai* dedans [16]. » Mais quel est le rapport exact entre ce récit — « rasskaz » — et ce vrai — « istinnyi » ?

Poser cette question — celle de la différence entre le récit mythique de Krieck le Jeune-Conservateur nazi, et la narration critique de Marx le dialecticien —, c'est entrer effectivement dans une critique de la fonction (ou de la « raison ») narrative.

14 « Ohne weitere Kritik » : « sans aucune vérification. »
15 « Les idées ne sont pas autre chose que des récits ou des histoires de la nature dans l'esprit », Spinoza, Appendice aux *Principes de la philosophie*, I, 6.
16 No philosophia doljna byt ne rasskazom o tom, chto soverchaietsia, a poznaniem togo, chto v niem *istinno*.

II. CRITIQUE DE LA RAISON NARRATIVE

Celui qui recopie et récrit la logique hegelienne au beau milieu d'une guerre mondiale était, peu d'années auparavant, entré en controverse avec son ami Bogdanov sur un tout autre terrain, la crise de la physique et la théorie de la science. A Bogdanov, affirmant qu'il n'existe pas de critère de la vérité objective, et pour qui « la vérité est une forme idéologique », Lénine répliquait : « si la vérité *n'est qu'une* forme idéologique, il ne peut y avoir de vérité indépendante du sujet ou de l'humanité, car, pas plus que Bogdanov, nous ne connaissons d'autre idéologie que l'idéologie humaine ». Et si la vérité n'est qu'une forme organisatrice, et toute idéologique, de l'expérience humaine, alors « l'assertion de l'existence de la terre en dehors de toute expérience humaine ne peut être vraie ». De cette démonstration par l'absurde ressort une conclusion claire : « la négation de la vérité objective est de l'agnosticisme et du subjectivisme. L'absurdité de cette négation de Bogdanov ressort clairement ». Ainsi le jeu des formes idéologiques — des formes qui organisent l'expérience humaine — ne peut exclure une « vérité objective » qui, précisément, trace la ligne de la différence entre science et idéologie. Et c'est « cette *différence* (raznitsa)... que Bogdanov a effacée en niant la vérité objective ».

Mais quelle science peut apparaître au travers du « *récit de ce qui se produit* », et que peut-elle chercher à connaître de ce qui est « *vrai dedans* » ? Dans le champ où se déplacent plusieurs récits de ce qui a lieu — et plusieurs récits dont chacun est « idéologique », précisément dans la mesure où il est lui-même « organisateur de l'expérience humaine » —, quelle est la science capable d'énoncer les critères d'une « vérité objective », et de décider, parmi les énoncés narratifs, « entre vrai et non-vrai » ?

La question devient : comment la narration historique est-elle possible ?

Car il n'y a pas d'histoire — disons : de la « France » — avant la narration troyenne ou telle ou telle autre « prétendue narration ». Sans doute des campagnes et des villes sont corporellement habitées, des corps se meuvent et engendrent — mais aussi produisent et luttent, et se tuent, et cela tout au long du temps. Et il y a histoire dès que ces corps vivants *produisent* les conditions de leurs mouvements et de leur reproduction : car produire suppose que l'on *sait* que l'on produit. On peut lever le bras ou se saisir d'un objet, sans savoir qu'on le fait. Mais produire un outil, cet objet fait pour produire des objets, c'est savoir qu'on produit. Est « histoire » ce *savoir* dans le temps, l'ἴστωρ est celui qui sait dire : je savais ou je sais, εἶδον ou οἶδα. Le Narrator, c'est aussi *Narus* ou *Gnarus*, le contraire de l'ignare : celui qui sait. Roman Jakobson avait raison de dire que la production des outils et l'apparition du langage [17] est un seul et même procès, celui de la double articulation.

Dès que l'histoire se produit, elle se sait — mais elle se sait « prétendue narration »? A mesure que se propage le champ (et les entrecroisements) de la narration prétendue, on la voit sans cesse « conclure à » des « établissements » — comme le fut, pour la narration de Mably, celui des états généraux — que suit éventuellement une forme ou une autre d' « immense révolution » — ou de contre-révolution. Récit du Hun qui produit la « révolution » franque du passage du Rhin; ou narration de Mably qui conclut à l' « immense révolution »; et *narratur* marxiste, ou *rasskaz* léniniste, s'efforçant de connaître dans son propre récit « ce qu'il y a de vrai dedans » — ou à l'inverse conte gobinien, *Erzählung* du Chef prétendument paternel ou du recteur Krieck, refusant à « l'énoncé narratif » le pouvoir de décider entre vrai et non-vrai : voici quelques uns des traits fondamentaux dessinés sur le champ de l'histoire par l'action même de la narration historique.

Sans doute une ligne de démarcation se trace sous nos yeux : d'un côté la narration qui refuse la *décision* « entre vrai et non-vrai »; de l'autre, celle pour qui un tel refus efface toute *différence*, toute « raznitsa », entre science et idéologie. Démarcation fondamentale, et qui place à son insu Bogdanov l'empiriocriticiste (ou le néo-positiviste) du « mauvais » côté.

Mais il ne suffit pas de voir cette démarcation se dessiner, pour que disparaisse aussitôt la question : comment l'histoire est-elle possible, puisque tous ses récits — y compris telle ou telle prétendue narration — sont en mesure d'exercer sur elle une action? Si tout récit de l'histoire, vrai ou non-vrai, risque d'être actif, au point de « changer la face » de l'histoire même; si le récit « faux » porte aussi avec lui le pouvoir matériel d'exercer un effet de récit — alors comment sortir de la « prétendue narration », qu'est-ce que la narration « vraie »?

La vieille « théorie de la connaissance » — ou, comme on l'a traduite plus lourdement pour les besoins de la langue française [18], la gnoséologie — a pour précondition une critique de Narus, le connaissant : du Narrator.

La théorie de la connaissance présuppose une théorie de la narration.

---

17 Et la prohibition de l'inceste.
18 Parce qu'aucun mot français n'était constituable pour traduire l'adjectif allemand « erkenntnistheoretisch ».

LE TEXTE DU RÉCIT

En octobre de l'an 92 du siècle dernier, après plus de vingt années de Reich bismarckien, son fondateur reconnaissait publiquement avoir « falsifié » — c'est alors le mot violemment discuté dans la presse allemande — la fameuse dépêche, aux origines du second Empire allemand. En décembre, la position des marxistes dans le Reich allemand est rendue publique par une brochure de Wilhelm Liebknecht [19], incluant les discours prononcés par lui au Reichstag ou les articles contre le chancelier signés de son nom dans le « Volksstaat », au cours des années qui avaient suivi la guerre franco-prussienne. Liebknecht rappelait que ces discours et articles lui avaient alors valu d'être inculpé et condamné.

L'un de ses articles commence par rappeler ce que le député Keratry rapportait, dans le *Journal officiel*, de la séance du Corps Législatif tenue le 15 juillet de l'année 70 : ce jour-là, à la demande de Jules Favre, deux dépêches d'agents diplomatiques à l'étranger furent communiquées, « contenant le *texte du récit* [20] de l'offense publique subie à Ems par notre ambassadeur auprès de la Cour de Berlin — un texte qui, le duc de Gramont l'a déclaré, avait été adressé par Monsieur de Bismarck en guise de circulaire à tous les cabinets étrangers ». Document télégraphique « qui nous fut présenté (dargestellt) comme le récit officiel [21] de l'offense ». Et par ce qu'il crut savoir de sa provenance, le gouvernement français eut toutes raisons de penser, souligne Liebknecht avec force, que ce document problématique était authentique et *vrai*, alors qu'il s'agissait d'une « infâme falsification ».

Dès l'année 73, Liebknecht avait posé la question : qui est l'auteur du télégramme ? Et proposé la réponse : c'est le comte Bismarck. Dix-neuf ans plus tard ce dernier, écarté du pouvoir, fait une rentrée politique en reconnaissant, au cours d'un entretien accordé à un journal de Hambourg, qu'il est bien le rédacteur de la dépêche : « il est si facile, sans falsification, simplement par omission et rature, de changer entièrement le sens d'un discours. » D'Ems en effet le roi venait de lui adresser la dépêche, en l'avisant de la publier de façon partielle ou intégrale. « Et comme je l'avais réduite, par ratures et par contractions, Moltke, qui était près de moi, s'écria : c'était une chamade, maintenant c'est une fanfare. » Le seul *trait* de la phrase — *Strich* — suffit à

19 *Die Emser Depesche,* oder wie Kriege gemacht werden, von W. Liebknecht, Nürnberg 1899, 7. Auflage, Verlag von Wörlein & Comp.
20 *Den Text der Erzählung.*
21 *Offizielle Bericht.*

cette transformation. En mai 76 Albrecht von Roon déjà, dans la très conservatrice « Deutsche Revue », avait révélé que ce « cri d'alarme » avait été rédigé au cours d'une séance du « Staatsministerium ». Qui ne connaît la dépêche d'Ems ? demandait, le 4 mai, le journal du parti de Liebknecht, cette dépêche « qui racontait *(erzählte)* l'outrage fait à Benedetti par le roi de Prusse, et qui causa *(herbeiführte)* la guerre franco-allemande. » En novembre 92, après la confession de l'ex-chancelier, un confident anonyme publiait dans un journal viennois le détail de la scène, en le mettant au compte du chancelier comme narrateur en première personne. « Je laissais seulement la tête et la queue. Maintenant la dépêche paraissait quelque chose de tout autre. Je la lus à Moltke et Roon dans cette nouvelle version. Les deux s'écrièrent : « Splendide! *Cela doit agir !* [22] » Nous mangeâmes avec le meilleur appétit ». L'auteur, qui est en même temps l'acteur principal, souligne donc, avec la même assurance que son adversaire marxiste, un rapport pourtant énigmatique — celui qui relie un *récit*, et ses ratures ou ses *traits*, à une *action*, comme « cause » d'une guerre aux conséquences immenses.

Ce récit qui est « faux », ou « falsifié » — l'écart avec le récit « vrai » étant produit par quelques traits ou ratures — *agit* ainsi de façon massive. Et de manière paradoxale il agit sur les acteurs ou les sujets (on voudrait dire, avec Khlebnikov [23], les actants) du récit même, à travers une relation privilégiée. D'un côté, cette action s'exerce sur l'ambassadeur Benedetti ou plus exactement son référent, le « peuple français » : tandis qu' « en vérité », assure le chancelier, on avait présenté à notre Roi et Seigneur une exigence insultante, « la dépêche agit sur les Français comme si, par notre roi, leur haut représentant avait été brusqué ». Mais d'autre part, et c'est le plus étrange des effets, le texte « faux » agit sur le roi lui-même, émetteur initial du récit : rentré à Berlin à l'appel du chancelier, il va s'y trouver acclamé par son peuple, à sa grande stupéfaction. « Il reconnaît qu'il s'agit, en vérité, d'une guerre nationale, d'une guerre populaire, que le peuple désirait et dont il avait besoin. » Il y a donc, à partir du récit faux, beaucoup de « vérité » qui se trouve être manifestée ou produite, en deux points différents, dans les deux références opposées de la narration; et une singulière ritournelle fait apparaître cela dans les confessions privées de l'ex-chancelier :

Und gerade wie drüben, wirkte die Sache hüben
« Et tout comme au-delà, la chose agit en deçà ».

---

22 *Das muss wirken !*
23 Terminologie reprise par A. J. Greimas, après Tesnière *(Syntaxe structurale)*.

L'action du récit *agit* ici, sur les deux sujets successifs de la narration même. L'effet de l'énoncé narratif est deux fois, et comme en écho l'un de l'autre, produit dans la réalité. Et, au moins une fois, cet énoncé « faux » aurait un effet « vrai ».

Il faut ajouter que la « vérité », que découvrait en son propre énoncé l'ex-chancelier, n'est pas celle que lui trouve, dans un parti animé par Marx et Engels, son adversaire le plus acharné, Wilhelm Liebknecht. Selon ce dernier, le Prince Bismarck a cru agir pour le profit de sa propre classe et celui de la dynastie, mais « en vérité il n'a travaillé et il ne travaille que pour la Révolution ». Car, Liebknecht l'affirme avec énergie, ce qu'il y a de réconfortant et de beau dans l'histoire universelle, c'est que tous les actes de violence des puissants de cette terre ne parviennent pourtant pas à arrêter le développement culturel de l'humanité.

Dans l'immédiat, ce qui est mis à découvert aux yeux de Liebknecht, c'est « la déchéance de nos partis capitalistes », et la corruption de leur presse qui nie résolument le *faux* — même lorsqu'une revue « archi-conservatrice » l'aura révélé, même lorsque son auteur l'aura avoué —, mais qui en glorifie au même moment les effets. Après les premiers articles de Liebknecht, tel journal bavarois répond en dénonçant sa « haine empoisonnée »; en exaltant « le combat sanglant de la guerre glorieuse » et (langage saisissant, quasi heideggerien) la volonté de s'en tenir résolument à ce qui prête « à notre *Dasein* une valeur authentique », à ce que « le mécanisme de la vie quotidienne repousse au second plan » ... Pareil contexte de langage donne sa portée au message du faux télégramme. Bien plus, l'aveu même de l'ex-chancelier ne va pas l'ébranler davantage : à l'exception de la presse marxiste, pas un journal qui, au dire de Liebknecht, ait osé prononcer un mot à ce sujet. Certains publieront l'interview en retranchant la séquence qui traitait de la « falsification ».

TRANSFORMATIONS NARRATIVES ET ACTION

Cette omission appartient alors à la *narration généralisée* dont le récit en cent mots de la dépêche elle-même n'est que la séquence-clé.

Car c'est là le phénomène fondamental dont il s'agit de saisir les conditions de production et les effets : ce *champ narratif* tout entier, dont les éléments sont les uns par rapport aux autres en cours d'émission ou de déplacement.

A ce champ appartient d'abord ce que Liebknecht appelle la dépêche

« vraie » : celle que le roi adresse à son chancelier. Puis celle que ce dernier, après l'avoir lui-même « rédigée », fait publier le soir même dans la feuille « extra », l'*Extra-Blatt* de la « Norddeutsche Allgemeine Zeitung » ; et, de là, qu'il fait retransmettre par l'Agence Wolff à tous les gouvernements de l'étranger (France exceptée). Ces deux « textes de récits » Liebknecht, avant tant d'autres, les rééditera en deux colonnes parallèles, sous les signes du « vrai » et du « faux » — de l'*echt* et du *« gefälscht »*. Mais à ces deux textes parallèles s'ajouteront les dépêches rassurantes que Benedetti fait transmettre le 14 juillet à son gouvernement, et qui lui parviendront trop tard — après le récit de récit que le gouvernement Ollivier aura prononcé à son tour, « d'un cœur léger », devant le Corps législatif, à partir des dépêches de ses représentants à l'étranger. Enfin le rapport, ou les *Promemoria,* que l'aide de camp du roi, le Prince Radziwill, rédigea et fit parvenir par une voie nontélégraphique à Berlin le 17 juillet : ce rapport inclut la dépêche « vraie ». Et de même que le discours d'Ollivier contenait la dépêche « falsifiée », de même façon, le 23 novembre de l'année 92, le discours du successeur du Bismarck, le Comte Caprivi, contiendra la « prétendue dépêche vraie » — *die sogenannte echte Depesche.* Enfin dans une certaine presse, le « Messager du Reich » du pasteur Stöcker, — premier journal explicitement antisémite en Allemagne — apparaît dès le 20 mai 76 la référence à une « deuxième dépêche vraie », à un sosie mythique — comme l'appelle Liebknecht — de la dépêche falsifiée, sosie d'après lequel cette dernière aurait été rédigée. Allégation qui, conclut Liebknecht, montrait que même ce journal était convaincu « de la fausseté de la dépêche falsifiée ». Et de même que l'*omission* de ce qui se situait dans la dépêche vraie « entre la tête et la queue » appartient fondamentalement au texte du récit bismarckien, et plus tard l'*omission* de l'aveu fait par l'ex-chancelier dans les narrations de « la presse capitaliste » à son sujet, — de façon comparable, *l'adjonction* du « sosie mythique » dans le champ, par l'effet du journal antisémite de Stöcker, appartient au champ entier des transmissions de récit et d'idéologie.

Bien plus : c'est par le jeu des déplacements réciproques, les uns par rapport aux autres, de ces transmissions, que l'*effet d'idéologie* va davantage en apparaissant. Pris isolément, le texte du récit de la dépêche raccourcie — où sont accolées « tête et queue » — est une version de la promenade du roi. Dans l'ensemble du champ politique européen du 14 juillet, en l'an 70, — ou du champ parlementaire allemand dans les années 76 ou 92 — ce récit relève expressément de la « politique de fer et de sang » qui s'est abattue sur l'Europe avant de se refermer sur le nouveau Reich allemand : telle est du moins la perception qu'en ont Liebknecht et son parti, et qu'il attribue également au fils du roi, le futur et éphémère Frédéric III, l'adversaire du *Blut- und Eisen-Politikus*. Idéologie que Moltke, le compagnon du Politikus, énonçait en ces termes à propos de ce banc d'essai qu'avait été la guerre austro-prussienne : nous avons combattu, « non pour un gain matériel, mais pour un bien idéal — la position de puissance ». Pillage et meurtre, traduit Liebknecht aussitôt : « morale de criminel », *Verbrechermoral*. Mais c'est *l'écart* entre les textes de narration qui laisse percevoir les différences dans le champ idéologique, pour celui qui s'arme des pleins pouvoirs de la *critique*, ou de la vérification : la morale de criminel se traduit par le « bien idéal », à l'autre pôle du champ.

Dans ce champ où se déplacent les écarts narratifs, ce qui est alors visible, c'est que l'effet de récit est porteur d'action. Le terme revient sans cesse. « Le télégraphe informait Monsieur de Bismarck, toute la journée, de l'action — von der *Wirkung* — de son brûlot dans les sphères gouvernementales, à la Chambre et dans le public. » Dans son discours du 1er décembre 92 au Reichstag : « quand le roi de Prusse revint à Berlin, entre temps la dépêche avait atteint le pays et l'égranger, et quand Benedetti arriva en France la guerre était déclarée déjà. La dépêche d'Ems avait fait son action » — *ihre Wirkung gethan*. « Et lorsqu'en 1870 la guerre était déjà en bonne voie, afin d'aider la dépêche d'Ems « rédigée » et d'aiguiser encore son action — *ihre Wirkung noch* —, une dépêche de guerre fut « rédigée », qui éveilla un cri d'indignation en Allemagne au sujet de la conduite barbare des Français. Je veux dire la fameuse dépêche sur le siège de *Saarbrück*, réduit en cendres par les Français. » Marx, dans le Livre Premier, décrivait les « *quanta* de valeur » portés par la marchandise. L'analyse de Liebknecht indique, de façon comparable, comment l'effet de narration ou de « rédaction » porte avec lui un certain quantum d'action, qui peut être massivement multiplié dans le champ. Même si le « texte de narration » transmis en divers points par les particules matérielles, à partir du « Bureau Télégraphique Wolff », est luimême privé de masse ou de poids.

Ici la transmission de l'effet, telle que la décrit Liebknecht, produit des ébranlements immenses. Liebknecht en 1876 : « les deux peuples les plus raffinés du continent européen se sont entredéchirés pendant huit mois dans des combats barbares, des centaines de milliers d'hommes ont été tués ou mutilés, des centaines de milliers de familles ont tout perdu, d'innombrables villes et villages sont dévastés et incendiés. » Le parti d'Engels, dans son organe du 4 mai : « la guerre qui a apporté la mort, la mutilation, l'infirmité, une pauvreté indicible, la ruine économique à des millions d'hommes » — tout cela, cette dépêche qui « racontait l'insulte » et dont on vient d'apprendre par les « publications authentiques » de Benedetti et par les indiscrétions d'un confident de Bismarck, qu'elle était falsifiée, tout cela, ce conte l'a *produit* (herbeiführte).

Liebknecht en 92 : Sans cette guerre, l'empire français aurait disparu de lui-même par la poussée d'un mouvement intérieur, « et la situation ignominieuse et contre-nature que doit subir maintenant l'Europe nous aurait été épargnée — le militarisme étouffant, le danger de guerre en permanence, et la prépondérance malsaine de la Russie, comme conséquence de l'antagonisme entre l'Allemagne et la France ». Sans doute la bourgeoisie allemande est prospère, et elle voit dans la résurrection de l'Empire allemand « fleurir le Reich millénaire de sa domination ». Mais ce terme même, ce syntagme archaïque qui sera, quarante ans plus tard effectivement proclamé — *das tausendjährige Reich* — Liebknecht n'a pas tout à fait tort d'y lire des illusions puériles.

Cet ébranlement gigantesque, dont lui-même ne peut voir toutes les conséquences, il est donc produit — par une « transformation » de l'énoncé narratif, une *Verwandlung*, qui a changé la paix en guerre.

Car, résume Liebknecht :

« La *vraie* dépêche d'Ems annonçait la poursuite pacifique des derniers pourparlers à Ems.

« Elle était la paix.

« La dépêche d'Ems *falsifiée* mettait en scène (stellte dar) ce cours de telle façon que la guerre en était l'issue inévitable.

« Elle était la guerre. »

Tel est ce qu'il appelait ce faux-monnayage et cette *transformation*. Transformation, précise-t-il en reprenant les termes de Moltke, d'une chamade en fanfare.

RÉCIT IDÉOLOGIQUE

Ce que Wilhelm Liebknecht, l'homme qui a refusé les crédits de guerre à la Chambre de Prusse, comme son fils Karl les refusera plus dangereusement encore au Reichstag, — ce qu'il appelle la redoutable vérité, c'est que le Reich de granit et d'airain reposait « sur des fondations *de papier* [24] ». Ou, en d'autres termes, et comme il le dit en d'autres moments, un faux en

24 Auf einer Grundlage von Papier (p. v).

écriture [25]. Falsification colossale, écrivait-il dès septembre 73, sur laquelle repose tout ce qui « a été raconté » des origines de la guerre franco-allemande, et qui a servi à masquer les exigences « d'une politique princière et dynastique et de bas intérêts de classe ». Le quatrième anniversaire de Sedan est l'occasion pour lui de montrer que les fanfares du jour relèvent des efforts de ceux — *Regierung und Bourgeoisie* — dont l'intérêt est de griser le peuple pour détourner sa vue de sa propre misère.

Le récit que ceux-là, gouvernement et bourgeoisie, donnent alors des origines de la guerre revêt bien la fonction toute idéologique du masque par quoi le jeu des intérêts de classe — ce que l'Idéologie allemande appelait *l'articulation* en classes, la « Gliederung [26] » — est recouvert. Mais en même temps il ne fait que poursuivre le « texte de récit » qu'a constitué la falsification colossale, et qui a « causé » ou « entraîné » la guerre elle-même, faisant reposer, à la suite de cette guerre, la fondation du deuxième Reich allemand sur ces fondations de papier. Déjà pourtant ce texte de récit est lui-même idéologique, car la falsification colossale ne faisait que masquer (verdecken) les exigences des plus bas intérêts de classe. Mais ce texte de récit idéologique a eu une action, et il a produit une guerre, la plus cruelle des temps modernes, insiste Wilhelm Liebknecht. En tentant de démasquer la longue narration que gouvernement et bourgeoisie vont opiniâtrement poursuivre, avec le medium que leur fournira inlassablement la presse des « partis de l'ordre », il ne fait que désigner pour nous le procès déjà à l'œuvre sous ses yeux, et qui une seconde fois va produire, sur le même front, la guerre, au terme de laquelle des officiers de corps-francs — dont la plupart viendront plus tard encadrer Sections d'Assaut ou Sections de Protection — vont assassiner Rosa Luxemburg et Karl Liebknecht.

Procès qui est double. Car le récit idéologique y vient *masquer* les « bas intérêts » — mais en même temps, lui-même, ce masque, *produit* l'action, par sa « mise en scène » précisément. Ce dédoublement incessant est à suivre, car il appartient à ce qui est le paradoxe fondamental, le paradoxe critique par excellence de la narration historique ou de la raison narrative.

Écrivant, ou plutôt raturant, et commettant son faux en écriture, le Politikus, le chancelier de fer et de sang *énonce* l'histoire — car déjà le dialogue de Benedetti et du roi a eu lieu. Mais en même temps il la *produit*. Il ne s'agit

---

25 Fälschung von Urkunden.
26 Die Gliederung der verschiedenen gesellschaftlichen Klassen, traduit habituellement par « structure des différentes classes sociales ».

pas ici seulement du dédoublement, capital en linguistique, entre procès de l'énoncé (ou « *narrated event* ») et procès de l'énonciation : le chancelier de fer ne se borne pas à donner une énonciation à « l'événement narré ». Déjà d'ailleurs, celui-ci est dédoublé : promenade dialoguée du roi, et « dépêche vraie ». Le texte du récit rédigé à Berlin — et daté d'Ems — par l'homme de fer et de sang ne trouve pas son effet dans la seule vertu d'énoncer ce qui fut événement, mais dans son *rapport* principal à deux autres récits : celui de la dépêche « vraie » d'une part, rédigée à Ems au nom du roi par le conseiller secret Abeken, et l'autre, tenu à Paris, celui de l'homme au cœur léger. Mais aussi dans son rapport latéral et différé à ceux du comte Benedetti et du prince Radziwill — et enfin, à toutes les retransmissions, à toutes les réécritures par la presse, les discours, les polémiques de toutes sortes, à son sujet. Dans ce champ de reproduction *élargie*, pourrait-on dire, ce que produit le texte du récit rédigé à coups de traits et ratures par le Politikus, ce n'est pas seulement la campagne militaire préparée et d'avance écrite par von Moltke en vue du « bien idéal » et de la position de puissance, mais aussi cela que le premier Liebknecht nomme l'Ère de fer et de sang — comme système de langue idéologique, et comme réalité. En avançant le « masque » du texte de récit, le Politikus a jeté en même temps « les dés » — Liebknecht le dira également — pour ce jeu nouveau des « bas intérêts ». Autrement dit, l'énoncé narratif ne se borne pas à annoncer ce qu'il dissimule, il le met en jeu.

EFFET DE LA FORME

A l'événement narré — le dialogue de la promenade — l'énonciation du chancelier et ses propositions de narration n'ajoutent pas seulement un décalque de langage. Le télégramme « épaissi » ou « compact [27] », comme il le nommera lui-même confidentiellement, tire la *différence de l'action* [28] propre à son texte, du fait, également, qu'il est aussitôt transmis à la ronde : cette différence, le chancelier le dira très officiellement, n'est pas l'effet de mots plus forts, « *mais de la forme* » — Liebknecht soulignera ces mots — « que cette diffusion à la ronde fait apparaître comme une conclusion, tandis que la rédaction d'Abeken avait simplement l'apparence d'un fragment dans une négociation flottante, et qui se poursuivait à Berlin ». La différence dans l'ac-

---

27 Erdichtete (in : *entretiens avec Moritz Busch* : « *Bismarck, Some secret pages of his history* », 1899).
28 « Der Unterschied in der Wirkung ».

tion était, principalement, *Ergebnis der Form* : effet de la forme, c'est-à-dire du *rapport* aux énonciations *différentes*. Cette forme-là, entre autres aspects, et le chancelier n'a pas tort de le souligner : c'est d'être diffusé à Paris « avant minuit ». Là le texte de narration réécrit et réémis par l'homme de fer et de sang ira au-devant de celui de l'homme au cœur léger, avant de revenir vers son émetteur initial, celui de la dépêche « vraie » — et se répandre en des lieux neutres qui vont, telle la presse anglaise de l'Athenaum, en répercuter la double portée. Et déjà, « *on racontait*, oui, *on mettait en scène* (stellte dar) *par l'image*, comment le roi Guillaume de Prusse avait tourné le dos à l'ambassadeur de France — et même de façon plus drastique ». Obtenu par le mode de retransmission comme par la transformation de « l'épaississement » syntaxique, l'*effet de forme* aboutit à une différence dans l'action, dans la production [29] de celle-ci.

Raconter l'action, ce n'est donc pas seulement « écrire ensemble » — comme le veut Thucydide : *syn-graphein* — les différents témoignages. Ce serait, à la limite, saisir à mesure de quelle façon les narrations des différents témoins qui sont aussi acteurs (ou actants), changent l'action par les différences racontées. Comment le procès double de l'*événement narré* [30] et des *propositions de narration* [31] fait entrer dans une économie généralisée où l'histoire entière, et non la seule « histoire économique », est prise et enveloppée, c'est cela qu'il s'agit de faire voir, en vue de cette science de l'histoire dont Marx a écrit — dans un paragraphe d'ailleurs *raturé* de « l'Idéologie Allemande » — qu'elle englobait toute science.

Lorsque, note Marx, l'objet marchand passe de mains en mains, son déplacement dans l'espace social est pur changement matériel : telle est la sphère de l'échange. Mais ce faisant, il est passé de sa forme naturelle à sa forme valeur et, le cas échéant, à sa forme monnaie. S'intéresser au procès de l'échange, c'est donc avoir « à considérer le procès entier du côté de la forme, c'est-à-dire seulement du changement de forme (...) qui médiatise le changement matériel dans la société ». Et s'il est bien évident que le changement matériel « détermine » (bestimmt) le changement de forme, celui-ci rend possible ou « médiatise » (vermittelt) celui-là.

Et l'homme d'État que Liebknecht nomme le rusé — le Politikus — ou le

---

29 Herbeiführung.
30 Roman Jakobson : le « narrated event », ou procès de l'énoncé.
31 Shaumjan, traduisant ou transcrivant un exposé de Chomsky.

menteur, n'a pas tort pourtant de dire qu'à elle seule agit la circulation du texte de narration, sa *Rundgebung*, sa façon d'avoir été donnée à la ronde, et à la tombée de la nuit. Si, précisait chez Marx dans le Livre Premier la séquence qui a disparu de la version française (mais qui reste bel et bien présente dans le texte allemand), « si l'on s'en tient seulement à ce moment *matériel*, à l'échange de la marchandise avec l'or, on laisse précisément échapper ce qu'il faudrait voir, c'est-à-dire ce qui est apporté par la *forme* » — *mit der Form*. D'une façon comparable, celui que Liebknecht nomme le faussaire déclare que déjà la circulation de l'énoncé narratif produisait un effet de forme — *Ergebnis der Form* — qui va, comme en échange, déclencher la contre-prestation d'un discours narratif : celui de l'homme au cœur léger. Le procès de dédoublement propre à la marchandise, en objet marchand et en forme monnaie — où l'objet « fait face » ainsi à sa forme valeur ou monnaie —, le voici qui se renouvelle de façon surprenante, sur un terrain où il se trouve généralisé. L'événement raconté (le procès de l'énoncé) est mis en route déjà entre Ems et Berlin, mais de là déjà la Rundgebung, la circulation à elle seule le charge d'un effet de forme. La transformation syntaxique et sémantique, due à son épaississement, va se doubler d'une transformation pour ainsi dire économique, qui s'apparente à ce que le Livre Premier du Capital appelait la métamorphose des marchandises.

III. *CRITIQUE DE L'ÉCONOMIE NARRATIVE*

Comment définir et comment nommer ce mode de saisie, acharné sur le *narrated event* pour le capter et le déterminer entièrement ? Il se rapporte à la fois au niveau linguistique et au niveau économique, parce qu'il s'attache à un *énoncé*, et qu'il le suit dans sa *circulation*, — mais il ne peut s'agir de simplement mettre bout à bout des concepts linguistiques et des concepts de l'économie politique. On serait tenté de parler de « sémantique politique », si les termes n'avaient été déjà usités, et pour désigner tout autre chose, habituellement décrit par l'expression d' « analyse de contenu ». Et précisément il ne s'agit nullement de dégager des « contenus », mais bien plutôt de prendre sur le vif la circulation des signifiants et leur « effet de forme ». On pourrait songer à désigner cette prise par le terme « sémiotique » ou encore, ce qui est tout pareil, « sémiologie »; où c'est le « signe » même, et en lui la face signifiante, qui est prélevé et accentué. Une « sémiotique historique » ? Mais s'il y a eu déjà l'inflation d'une prétendue « sémantique générale », on a pu assister, depuis, à certaines impostures prétendument « sémiologiques [32] ». Plutôt que de s'associer à la prétention de fonder des sciences miraculeuses, mieux vaut se limiter à constituer, sur la base empirique d'une *sociologie des langages*, une simple *critique*. Critique de la fonction du récit, qui est, plus généralement, une *critique de l'économie narrative*, — et, en même temps et simplement, de l'histoire. Rien d'étonnant à ce qu'elle rencontre, dès ses premiers moments, la démarche qui s'est désignée elle-même comme « Critique de l'économie politique ».

Cette critique est la démarche qui tend à constituer comme science théorique une *sémantique de l'histoire*.

Mettre en exercice cette critique suppose nécessairement que l'on entre dans les transformations de la narration, et de sa distribution circulaire ou, plus exactement, de son réseau. Méthode dont le paradoxe doit être de *faire coïncider le discours théorique avec la narration même*, ou plutôt le réseau narratif qu'il met en scène en l'analysant. L'analytique de la narration historique est en même temps un *épos* — une « épopée » *critique* : l'épopée même dont est capable notre temps.

32 Remarque qui ne s'applique évidemment pas aux travaux admirables de l'École de Tartu. Mais une certaine inflation « sémiologique » (ou « sémiotique ») est récusée par la rigueur théorique avec laquelle Chomsky a défini une théorie de la syntaxe, et par le contre-coup que celle-ci a produit sur la constitution d'une théorie scientifique du sens.

Car le propre de la scène historique, développée depuis le « texte de narration » qui a produit la première des trois guerres franco-allemandes, c'est qu'elle fait entrer *en* elle comme acteurs, ou actants, ceux mêmes qui ont fait porter *sur* elle leur critique : Liebknecht (Wilhelm avant Karl) y agit par sa critique, avec Marx lui-même, ou entre Marx et Lénine — tout comme le chancelier de fer et de sang, ou celui que Liebknecht appelle curieusement son martyr ou sa victime admirative : Nietzsche, « le grand apôtre de la grande criminalité, le philosophe de l'infamie humaine ». (Et il est vrai que par Schmeitzner, l'éditeur antisémite de Nietzsche, dont celui-ci s'est séparé dès que ce trait idéologique lui est apparu, on s'est un moment employé à établir quelques liens entre le chancelier d'une part et de l'autre le « martyr » qui le méprisait.)

Qu'il s'agisse de Boulainvilliers et de Gobineau, de Rosenberg ou de Krieck d'un côté; de Mably et de Marx, de Lénine et des deux Liebknecht, de l'autre côté, on peut dire clairement comment le discours de l'idéologie — ou de l'analyse théorique — s'articule sur le *texte de narration* et, en même temps, se charge à plus ou moins longue distance d'un effet de forme ou d'un *effet de récit*, passé dans l'action même et son tissu. Et cela, par rapport au niveau du récit d'Ems, à un degré supérieur de complexité, à une puissance plus élevée de l'histoire. Cette jointure entre « l'idée » (récit de la nature dans la pensée, selon la définition spinozienne) et la narration, elle se dévoile à chaque détour de l'écriture de Nietzsche — du philosophe de « l'infamie humaine » et, précisément, de l'ère de fer et de sang qu'a ouverte sous ses yeux le texte narratif de la dépêche falsifiée.

Nulle part mieux que chez le prétendu apôtre de la grande criminalité, le détour de l'histoire la plus réelle par la fiction n'est visible, et de plus éclatante façon. Et nulle part l'invention des « idées » n'y répond plus littéralement aux termes spinoziens. Mais chaque « idée » chez Nietzsche — chaque séquence d'écriture, pour une pensée qui produit spasmodiquement ces vibrations écrites — est une fiction pour voir, un fulgurant raccourci narratif qui renverse l'histoire en « nature ». Mais rarement fiction ne s'est plus terriblement imprimée sur l'histoire, allant au-devant de certaines *actions en retour* [33] sur sa base réelle, et entrant avec elles en résonance non sans une efficience redoutable. Au terme de la seconde guerre franco-allemande, et dans le discours, dans le récit idéologique qui conduit à la veille de la troi-

---

33 Actions par change : Wechselwirkung.

sième guerre, ce n'est plus le chancelier de sang, c'est l'écriture des Considérations inopportunes qui est *actuelle* fort dangereusement.

Exploration du pouvoir d'inventer — et de narrer — des « idées », elle se transforme en pouvoir, sinon de transformer effectivement, du moins de pénétrer l'histoire avec une puissance explosive et contradictoire, ou une sorte de pouvoir séparateur. Toucher, à ce degré, au pouvoir du « récit de la nature dans la pensée », c'est toucher déjà à l'histoire même.

Déjà, remanier la simple puissance de raconter peut se charger d'effets. Le même livre nomme, l'un des tout premiers, la *lutte des classes* par son nom, et se réfère à l'impact qu'a eu de loin sur lui une pure fiction narrative : un roman. La préface aux « Considérations » de Thierry le saint-simonien laisse clairement voir que la discussion sur « l'histoire critique » et « l'histoire narrative », à propos du droit de conquête et de ses effets sur l'articulation sociale répercutés dans la longue période, prend un tout autre sens lorsque la conquête elle-même a pu être, *par* le texte narratif, violemment vue. Sans les possibilités formelles que les transformations du récit donnent dès une certaine date à la langue française, et la force de vue et d'énoncé qu'elles fournissent à « l'histoire narrative » comme à « l'histoire critique » chez ceux qui se sont, d'autre part, armés des pleins pouvoirs dans la recherche des registres « vrais », la phase réelle que l'histoire racontera sous le nom de Révolution de 1848 n'aurait pu être en même temps le point autour duquel se constitue, comme méthode et perspective théorique, la conception matérialiste de l'histoire.

CIRCULATION : SIGNES ÉCONOMIQUES, RÉCITS IDÉOLOGIQUES

La jointure du récit et du discours est décisive, pour toute exploration du langage et de l'histoire, en ceci : que le récit est la fonction du langage qui *rapporte* l'objet et l'action, et qui renvoie sans cesse le discours vers l'action et l'objet.

Et c'est par ce rapport que le langage de l'idéologie laisse transparaître les registres lourds dont il est pour ainsi dire grevé. Un lecteur des « Années décisives » de Spengler, ou de « La Ville » d'Ernst von Salomon saura, même si tout autre vestige de la société allemande dans l'entre-deux guerres lui est retiré, que celle-ci était alors parcourue par des secousses économiques d'une rare violence. Par ces résidus narratifs, il pourrait percevoir déjà la similitude formelle entre ces secousses-là et celles que successivement Sismondi, Clément Juglar et Marx ont été les premiers à décrire et raconter — avec le

Balzac de « la Maison Nucingen » : dédiée à James de Rothschild. Qu'il y ait un *rapport* entre ces mouvements dans la production ou la circulation des signes de la « vie réelle », et d'autre part l'émission et la circulation des récits idéologiques, peut se laisser entrevoir en effet dans l'aptitude toujours présente en ceux-ci, quelle que soit la part du masque, de *rapporter* celle-là.

Mais la fonction du masque elle-même, vue de plus près, n'est pas ce qui est le moins intéressant dans ce rapport-là. A Nuremberg — au procès de Nuremberg — le Docteur Hjalmar Schacht a raconté son rôle d'expert, puis d'acteur fondamental, dans l'expérience économique allemande qui porte habituellement son nom. Ce rôle, il l'a masqué ou revêtu de telle façon que désormais, après lui, les économistes, la « science économique » elle-même ont dans l'ensemble pris au mot les affirmations principales de son récit. Ces prolongements du récit schachtien et de sa pratique du camouflage jusque dans la «littérature scientifique» de nos jours ont été soulignés avec force par des historiens allemands [34], à leur tour armés des pleins pouvoirs dans la recherche de tous les registres. Mais, précisément, de tels prolongements livrent la clé même — la clé « fausse » — qui est seule apte à résoudre l'énigme de cette expérience singulière. Le fait que la version idéologique (et masquée) de l'inculpé de Nuremberg ait pu être si aisément adoptée par un grand nombre des versions de la science permet de s'introduire dans le mécanisme par lequel, déjà, sa version idéologique précédente — tout autre d'ailleurs — était entrée dans la réalité. La succession des énoncés narratifs programmatiques donnés par Hjalmar Schacht de ce qui va être, de ce qui est et de ce qu'a été « l'expérience Schacht », *cette chaîne est inséparable de la façon dont les enchaînements de cette expérience ont fonctionné ;* dont ils se sont donné, dans un clair-obscur à peine levé pour nous, leurs règles de jeu — non sans se *rapporter* de manière implicite ou expresse aux repères que dessinaient les versions idéologico-économiques des contemporains.

LE MASQUE

Ce qui a été nommé à ce propos, dans l'après-guerre, la pratique du camouflage joue sur plusieurs plans en même temps : *Tarnpraxis :* pratique du « masque qui rend invisible » (Tarn). Les « Principes de l'Économie

---

34 Karl Dietrich Bracher, Gerhard Schulz, Wolfgang Sauer : *Die nationalsozialistische Machtergreifung*, Köln 1962 (1034) pp.), p. 802. (La troisième partie, après la p. 685, est signée par W. Sauer.)

allemande », publiés par Schacht avant la prise du pouvoir nazi, affichent son attachement au libéralisme économique le plus classique, autant qu'à une solution politique antilibérale. Ils serviront, face au Grand Capital, de camouflage pour l'adoption des programmes de « Création de travail » préparés d'abord par les syndicats socialistes, puis par l'aile « gauche » strasserienne du parti nazi : programmes qui avaient suscité l'inquiétude et l'irritation des hommes de la Ruhr. A leur tour, les programmes de création de travail, d'allure keynésienne, ont camouflé pendant les deux premières années du Troisième Reich l'opération qui est à l'œuvre dès les premiers jours, le réarmement clandestin : il s'agit alors de le masquer aux contrôles des Alliés, et plus encore de faire en sorte que le redémarrage économique produit par son financement secret — l'invention propre de Schacht, les « effets Mefo », entrés en action secrètement dès mai 33 — soit mis au compte idéologique de la « création de travail » à des fins pacifiques et sociales. Mais à son tour le réarmement clandestin remplit curieusement une fonction de camouflage, car il a permis de cacher à l'opinion le fonctionnement exact de ce financement, auquel l'Allemagne doit alors à la fois son réarmement accéléré et sa reprise économique : ainsi s'explique ce fait très singulier, qu'il a été possible de tenir secret, pendant toute la durée du Troisième Reich, le sens économique des effets Mefo et l'ordre de grandeur de leurs émissions successives — secret qui favorisait la performance schachtienne d'une inflation de crédit sans inflation des prix.

Ce triple camouflage traverse de part en part les descriptions et les rapports successifs du Docteur Schacht. L'énoncé explicite de principes et de représentations « orthodoxes » ou « classiques » lui permet, aux yeux de ceux qui détiennent les moyens de production, la pratique de mesures fort peu orthodoxes. La référence officielle à la « création de travail » permet en outre, aux yeux des Alliés mais aussi des masses qui attendent quelque aspect « socialiste » du national-socialisme, le financement clandestin du réarmement : c'est la fin non-orthodoxe qui masque le recours au moyen le plus traditionnel. Enfin l'allusion désuète au « secret » patriotique qu'exige ce réarmement clandestin permet, aux yeux d'une opinion fort sensible au péril d'une inflation des prix, de laisser insoupçonnée l'étendue de l'inflation de crédit : cette fois, le masque mis sur le moyen « classique » sert en outre à masquer les risques pris avec les mesures non « orthodoxes ».

Si l'on relit les divers textes laissés par le prétendu magicien des finances allemandes comme une seule narration discontinue de ce que fut en Allemagne la Grande Dépression et la reprise, on y voit, de façon naïve ou consciente selon les phases, cette pratique sans cesse à l'œuvre, qui en fait un récit incapable de décider — comme le voulait le recteur Krieck, mais sur un tout autre plan — « entre vrai et non-vrai ». Les « Principes » de l'année 32 dénonçaient tous projets de recours aux grands travaux de la main publique. Le Discours du 7 avril de l'an 33 désignait en eux, et en eux seuls, le moyen de faire redémarrer l'appareil de production. Le Discours de novembre 38 jette encore le voile sur le système des traites Méfo, moteur des commandes publiques en effet, mais moteur de guerre — et cela, à une date où les buts de guerre hitlériens sont par ailleurs fort clairement énoncés. Entre les divers textes narratifs du Docteur Schacht, et aussi les jeux d'écritures qui les ont accompagnés, la même circulation d'énoncés se déploie, qui est à l'œuvre dans le rapport entre la dépêche « vraie », la dépêche « falsifiée » et quelques-uns des rapports ou comptes rendus qu'elle a induits, depuis la lecture qui en est faite à dîner devant Moltke et Roon, jusqu'à celle qui s'effectue devant le Corps Législatif à Paris. C'est le réseau de cette circulation qui rend possible leur efficacité. Quand les mêmes historiens allemands décrivent l'un des plis ou des feuillets de ce réseau — par exemple, « l'action *(Wirkung)* de propagande de la politique de création de travail, sa valeur de démonstration pour le nouveau régime, et la légitimation que pareil succès entraînait en retour », tout cela étant lié au fait « qu'elle apparaîtrait aux yeux de l'opinion publique comme une tentative originale du national-socialisme pour surmonter la crise, et son succès comme la preuve de sa supériorité sur la démocratie » — ces mêmes historiens en viennent à ajouter aussitôt : « A quel point cette pratique du camouflage a été agissante *(wirksam)*, cela se montre dans son action à distance *(Fernwirkung)*, qui s'est poursuivie jusque sur la littérature scientifique d'aujourd'hui. » Ainsi ce qui leur apparaît comme la crédulité de la « littérature scientifique » ne fait que prolonger jusqu'à nous la naïveté qui se lit dans les rapports ou récits — les *Berichte* — d'économistes de réputation mondiale, tels que Wagemann, alors témoins et dupes des énoncés camouflés. L'action sur nous ne fait que prolonger et *vérifier* une action d'alors sur l'opinion contemporaine, appartenant à l'ensemble du jeu et à son fonctionnement, ou son efficacité. Vérification prolongée, qui confirme de façon paradoxale l'action poursuivie par un réseau d'énoncés et de récits jouant « entre vrai et non-vrai ».

Les Rapports ou récits des experts et des responsables — de Wagemann et de Schacht — présentent à cet égard des systèmes d'énoncés dont les naïvetés et les omissions sont inverses l'une de l'autre.

PARTIE II

Introduction aux langages totalitaires

Quelque chose d'analogue à ce que
produit le travail philologique
par lequel on recherche, sous la
langue vivante, les vestiges d'un
idiome perdu
AUGUSTIN THIERRY

La parole jette des ponts
vers des horizons inconnus
ADOLF HITLER

Comment pouvez-vous être certains
que ce que nous avons   it est la
vérité ?
KARL RADEK 1937

I. L'ÉTAT TOTAL

Une des « narrations » du Docteur Schacht — alors secrète — se nomme : Rapport (ou Récit) « sur l'état des travaux en vue de la mobilisation économique [1] » ; et il date de son entrée en fonctions comme ministre de l'économie. Au cours du même automne, le ministère de la guerre organise, autour d'un certain Colonel Thomas, une « Section pour l'économie de défense » — *für Wehrwirtschaft*. Plus d'un an auparavant, dès juin de l'an 33, se fondait sous les auspices du même ministère la « Société Allemande pour une politique de défense et pour les sciences de la défense » — une traduction plus claire serait : pour les sciences de la guerre, *Wehrwissenschaften*. Le financement de cette Société est assuré par des donateurs privés, parmi lesquels on peut compter les Acieries Réunies de Fritz Thyssen, membre du parti nazi depuis plusieurs années déjà. Parmi ses six cents membres on lit, outre le nom d'Alfred Baümler, alors aux prises avec l'édition complète des œuvres de Nietzsche, le nom de Carl Schmitt : celui dont la réputation est fondée sur le lien qu'il a introduit entre la formule — attribuée à Ernst Jünger — de la « Mobilisation totale » et le concept, qui lui est propre, d'«État total ».

Ce que Carl Schmitt lui-même nomme tantôt la « formule » tantôt le « concept » se développe par lui entre les années 29 et 31, pour la première fois, semble-t-il, dans la langue allemande.

La première de ces dates est celle d'un simple article, d'une « narration »

---

1 Bericht über den Stand der Arbeiten für eine wirtschaftliche Mobilmachung, 30 septembre 1934.

(Aufsatz), paru en mars dans une revue de Droit public [2]. La seconde, celle d'un livre ou « discours » (Abhandlung), paru en mars également, sous le même titre : *Der Hüter der Verfassung*, « Le gardien de la constitution » — ou son « Conservateur », est-il précisé, par référence à la constitution française de l'An VIII et au Sénat Conservateur. Dans les développements de ce livre apparaît la formule dont on dira dans l'après-guerre que Carl Schmitt l'a forgée : *der totale Staat*, l'État total.

L'avant-propos daté de mars 29 à Berlin y insiste : le problème soulevé ne l'a pas été pour le plaisir de proposer des thèses provocatrices ou ingénieuses, mais « sous la contrainte d'une nécessité donnée avec l'objet même ».

Ce problème s'énonce avec clarté dès les premières lignes, avec le rappel des instances historiques auxquelles, déjà, il a été rapporté : éphores de Sparte, restaurés dans les rêves de Fichte et critiqués par Hegel; « *Syndici* » du Tractatus politicus chez Spinoza; « Conservateurs de la Charte » chez Harrington; « Censeurs » de l'État de Pennsylvanie, évoqués en France par le thermidorien Thibaudeau au moment où s'élabore la constitution de l'An II; Sénat conservateur de Sieyès et de l'An VIII. Les constitutions de Bavière et de Saxe intitulent l'une de leurs rubriques : Du garant de la constitution. En Prusse, « le succès de la politique de Bismarck » a conduit à sous-estimer la question des garanties constitutionnelles, et même à la taire.

Mais la question n'avait nulle part été posée avec autant « de délicatesse » que chez Benjamin Constant, dans la définition de cette « autorité neutre et intermédiaire » qu'il attribue au roi constitutionnel. Et c'est pour Carl Schmitt un signe remarquable que de voir son nom, longtemps oublié en Allemagne, reparaître sous cet angle dans « un document aussi signifiant » que le Rapport d'un nommé Triepel en l'an 29, au Cinquième Congrès de droit constitutionnel allemand. Ce Rapport — ce « Récit » ou « Compte-rendu », *Bericht* — jalonne la problématique pour ainsi dire préliminaire de Carl Schmitt, ainsi qu'un autre Rapport (ou Récit) du même Triepel, prononcé cette fois au Trente-troisième Congrès Allemand des Juristes, tenu à Heidelberg au cours de l'année 24. Selon ce dernier, décisive et conforme à la constitution de Weimar était la possibilité de demander à la Cour suprême un jugement sur la compatibilité entre une loi nouvelle et la constitution, avant de la promulguer. La position adoptée par le Congrès de Heidelberg à partir du Rapport Triepel, c'est donc de tendre à voir cette autorité *neutre* et intermédiaire du gardien de la constitution s'incarner dans la Cour d'État

---

2 *Archiv des öffentlichen Rechts*, XVI, S. 161-237.

du Reich allemand — cette même Cour qui, à Leipzig, devra bientôt statuer sur un tout autre terrain : sur le coup d'État effectué par le chancelier Papen contre le gouvernement social-démocrate de Prusse, le 20 juillet de l'an 32. A Leipzig, le Reich de Papen aura pour avocat précisément Carl Schmitt. L'enjeu le plus réel sera de savoir si la police de Berlin doit être définitivement arrachée des mains sociales-démocrates qui la contrôlent depuis la mort de Karl Liebknecht — avant d'être remise, quelque temps plus tard, et par les soins du même Papen, aux mains d'un nouveau ministre de l'intérieur en Prusse, créateur de la Ge.Sta.Po. — Hermann Göring.

Mais face au Congrès de Heidelberg et au Récit Triepel, le récit idéologique et juridique de Carl Schmitt va conduire à de tout autres conclusions, sous la contrainte d'une nécessité qui lui est, affirme-t-il, imposée « avec l'objet même » : vers ces dernières lignes où il est déclaré que la constitution *cherche* tout spécialement à donner à l'autorité du Président du Reich « la possibilité de se lier immédiatement à cette volonté totale du peuple allemant, et ainsi justement d'agir comme gardien et conservateur de l'unité constitutionnelle et de la Totalité du peuple allemand. » L'autorité neutre et intermédiaire n'est plus celle du pouvoir judiciaire, mais celle de ce roi électif que Max Weber a fourni à l'Allemagne de Weimar, en le faisant élire au suffrage universel. Un hegelien comme Lorenz von Stein, qui déjà mentionnait expressément Constant, voyait la réalisation de son pouvoir neutre en France dans le « Roi de Juillet » qui pour lui, assure Carl Schmitt, représente ou met en scène (darstellt) « la forme classique en général du vrai constitutionnalisme ». Mais le roi Hindenburg, auquel il est fait plusieurs fois allusion, et à qui la constitution weimarienne attribue le pouvoir de déclarer, en vertu des énoncés de l'article 48, l'état d'exception, ce roi-là ne serait-il qu'un inoffensif roi de juillet ? Le discours de Carl Schmitt conduit à en douter : face au Récit Triepel, prononcé au Congrès Allemand des Juristes, il nous annonce et nous raconte d'avance le jour où, devant une session nouvelle du même Congrès, le 2 octobre de l'an 33, un chancelier nouvellement désigné par le roi va proclamer que « l'État total » — *der totale Staat* — ignore toute « différence entre Droit et morale ».

Ce discours de cent cinquante neuf pages est marqué en son milieu, presque exactement, par une césure. Entre les deux hypothèses sur le gardien de la constitution — l'hypothèse de la Cour constitutionnelle, et l'hypothèse du Roi-Président, qui occupent les parties I et III respectivement —, la partie centrale décrit « la situation constitutionnelle concrète du présent ».

Décrire ce présent, c'est le raconter, car il est fait d'un retournement ou d'un tournant : « le tournant vers l'État total » — *die Wendung zum totalen Staat.*

La situation constitutionnelle du présent s'y trouve caractérisée par le fait que de nombreuses institutions et normes sont demeurées inchangées depuis le siècle précédent, tandis que la situation elle-même s'est entièrement modifiée. Qu'est-ce donc que cette situation, ainsi distinguée de ce qui en constitue les « signes caractéristiques » » ?

Les constitutions allemandes du siècle dernier reposent sur une « structure fondamentale » (Grundstruktur), qui a été *portée* (gebracht) par une formule qualifiée également de fondamentale, mais aussi de claire et utile : la distinction entre l'État et la Société. Derrière pareille distinction transparaît l'ironique commentaire oral que Hegel ajoutait au § 182 de la Philosophie du Droit : « la Société bourgeoise est la différence » — die Differenz —, mais « en tant que la différence, elle présuppose l'État [3] ». C'est ce que Carl Schmitt entend lorsqu'il assure que « Société » est un concept polémique, une représentation qui est opposée à l'État existant, l'État monarchique, militaire et fonctionnaire : la Société se définissant comme ce qui n'appartient pas à l'État. Telle est la structure dualiste qui se manifeste par des concepts comme le concert entre le prince et le peuple. Dès lors le budget n'est établi que par un accord entre les deux parties. Même un acte d'administration comme la comptabilité des dépenses de l'État exige une loi dite *formelle* : « ce qui se montre dans cette *formalisation* n'est rien d'autre que la *politisation* du concept. » La puissance politique des représentants du peuple est assez grande pour conquérir un concept formel de la loi, abstraction faite du contenu objectif de l'affaire. Cette formalisation c'est une façon « *d'énoncer le succès politique* » de la représentation du peuple face au gouvernement, — de la société face à l'État des fonctionnaires, à l'État monarchique.

Cet État dualiste est donc fait d'un balancement entre deux façons d'articuler l'État : il est en même temps un État législateur et un État gouvernant. L'État absolu, tel qu'il a pu se dégager en « conquérant sa forme » à partir de la Renaissance, était un État du gouvernement, de l'exécutif : la raison d'État résidant alors en sa capacité effective de créer une situation dans laquelle, pour la première fois, des normes pouvaient avoir une validité, hors du champ féodal et de son régime de guerre civile. L'État constitutionnel et de Droit, l'État bourgeois, ou civil (bürgerliche), est un État de la législation.

---

3 Ajouté par Eduard Gans en 1833, comme *Zusatz*, et repris dans l'édition Glockner, 1952, p. 262.

Dans une telle forme il n'est pas de juridiction d'État ou de justice constitutionnelle qui soit en mesure de jouer le rôle de gardien de la constitution : car cette forme, c'est l'État médiéval, et la pensée anglo-saxonne qui en est le prolongement. Dans la représentation, la *Vorstellung* du siècle dernier, le Parlement porte en lui-même l'authentique garantie constitutionnelle : c'est lui qui est le véritable gardien de la Constitution, puisque son partenaire dans le concret, le gouvernement, ne l'a signée que sous la contrainte. La tendance libérale du siècle précédent est donc de réduire l'État à un minimum, d'éviter le plus possible ses interventions dans le champ économique, en un mot de le *neutraliser*, afin que la société et l'économie puissent se développer selon leurs principes immanents, en conquérant l'espace de leurs libres décisions.

Mais, poursuit Carl Schmitt, après avoir ainsi au passage éliminé le point fort du Rapport ou du Récit Triepel, — cet État fondamentalement neutre à l'égard de l'économie et de la société, cet État libéral de la non-intervention se modifie de fond en comble, à mesure que l'État s'accomplit ainsi comme donneur de lois : car maintenant l'État est devenu la simple « auto-organisation de la Société ». Ainsi s'efface la différence entre la Société et l'État — et ainsi tout problème économique et social devient immédiatement *étatique*. S'abolit la séparation entre le politique, qui relève de l'État, et les domaines apolitiques de la Société : présupposé de l'État neutre. Devenue ainsi l'État, la Société doit devenir sans fin un État de l'économie, un État de la culture, du bien-être, de la prévoyance, du placement. Elle s'empare du rapport social tout entier. Les partis, en lesquels s'organisent les divers intérêts sociaux, « sont la Société elle-même devenue l'État des partis » — le *Parteienstaat*. Un concept qu'en France juristes et soldats auraient « découvert », assure Carl Schmitt, celui d'armement potentiel d'un État, englobe *tout*, y compris la préparation industrielle et économique de la guerre, et même la formation morale et intellectuelle du citoyen. Celui qui est nommé ici un « représentant marquant du soldat du Front allemand », Ernst Jünger a inauguré, pour saisir ce procès surprenant, « un concept très prégnant » : celui de mobilisation totale, de *totale Mobilmachung*. Quelque chose s'énonce et s'annonce, « une grande et profonde transformation ». Qu'est-elle donc ? « La Société qui s'est elle-même organisée en État est sur la voie de passer de l'État neutre du XIXᵉ siècle dans l'État potentiellement total. » Ici l'énoncé reprend souffle : la puissance de ce changement, de ce tournant se laisse construire, assure Carl Schmitt, « dans un développement dialectique : de l'État absolu des XVIIᵉ et XVIIIᵉ siècles, à travers l'État neutre du XIXᵉ libéral, jusqu'à l'État *total* de l'identité entre la Société et l'État » — *zum totalen Staat.*

Qu'est-ce donc que cet énoncé, à quoi le « tournant » aboutit ? Et d'abord quelle provenance lui est donnée par la narration qui la porte jusqu'à nous ?

Carl Schmitt reconnaîtra lui-même, dans l'après-guerre [4], que la formule de l'État total — *die Formel « totaler Staat »* — « n'était pas usuelle en Allemagne, ni dans la conscience commune ni dans la littérature scientifique spécialisée », avant son livre sur le Gardien de la Constitution. Je suis arrivé à la formule, raconte-t-il, « par une suite d'observations et de réflexions juridiques », et cela « sur le chemin qui conduit à la formule de la guerre totale » — *die Formel « totaler Krieg ».* Et celle-ci résulte de deux développements sur le plan du droit des gens : le problème du désarmement et l'extension sans limite du concept de potentiel de guerre ; d'autre part, le concept de contrebande, qui s'est élargi au point que, pour finir, *tout* pouvait être contrebande. Carl Schmitt se souvient d'un titre français dont le nom d'auteur lui revient à peine : est-ce, demande-t-il, de Léon Daudet ? (Il s'agit de *La guerre totale* parue en l'an 18, et l'auteur en est Léon Daudet bel et bien.)

C'est ici que le récit au deuxième degré prend toutes ses vertus chez Carl Schmitt :

« Sous l'impression de cette dissolution irrésistible des différences et des limites traditionnelles en droit des gens, et de la même dissolution des différences sur le plan du droit constitutionnel et étatique (ainsi État et société, État et économie, politique et culture, etc...) s'ensuivit la formule de l'État total, mais, il est vrai, comme pure analyse de la réalité et *sans aucun intérêt idéologique.* » Et, croit-il bon d'ajouter, « elle n'était pas orientée de façon fasciste ».

Et pourtant le livre de l'année 31 justement précisait que la « formule » prenait sens par opposition à celle du *neutrale Staat* ou, soulignait-il en lui restituant sa version italienne, le *stato neutrale ed agnostico.* Or cet État « agnostique » n'est rien d'autre que ce dont la Doctrine du Fascisme, et plus généralement les textes de Mussolini ou Gentile qui l'escortent, désignent l'opposé par le néologisme énigmatique du *stato totalitario.*

On peut interrompre ici le rapport ou le récit de Carl Schmitt, en même temps que sa narration seconde de l'après-guerre. Il suffirait de préciser dès

---

4 Lettre à l'auteur du 5 septembre 1960.

maintenant que dans l'intervalle — dans le courant de l'an 33 — est publié sous son nom, aux « Éditions Hanséatiques » de Hambourg — *Hanseatische Verlags-Anstalt* — un livre au titre ternaire : « État, Mouvement, Peuple », qui s'achève sur la désignation de l'État total.

JEUNES-CONSERVATEURS ET NATIONAUX-RÉVOLUTIONNAIRES

La même année, et sous le signe des mêmes éditions, paraît un titre plus explicite encore : *Der totale Staat*. L'auteur en est un jeune « Dozent », disciple de Carl Schmitt, du nom d'Ernst Forsthoff.

Dans l'après-guerre, Forsthoff racontera de façon écrite le rapport de ce livre à son contexte [5].

La formule ? Elle fut

« forgée, en 1931 ou 1932, par Carl Schmitt sous l'effet de la lecture d'Ernst Jünger et de sa *Totale Mobilmachung*, et en prenant consciemment appui sur cette formulation ».

« Elle est le résultat d'une analyse appliquée à la situation d'alors, avec des moyens de pensée qui remontent essentiellement à Hegel. »

Et voici une narration plus caractéristique encore, qui nous vient de Forsthoff le Dozent :

« La désignation de « jeune-conservateur » *(jungkonservativ)* provient essentiellement du fait que nous nous groupions autour de l'hebdomadaire « Der Ring », dont j'étais alors (sous divers pseudonymes) l'un des collaborateurs appartenant à son cercle le plus étroit. »

Qu'est-ce donc que « L'Anneau » — *Der Ring ?*

« Der Ring » était l'organe du *Herrenklub*, auquel du reste je n'appartenais pas, et qui d'ailleurs n'exerçait aucune influence sur la mise en forme de cette publication. Nous, les jeunes, nous étions alors sous l'influence de Moeller van den Bruck, que du reste je n'ai pas connu. »

Mais comment intervient ici ce mort, alors méconnu et fameux, qu'était l'auteur du « Troisième Reich » ?

5 Lettre à l'auteur du 31 août 1963.

« Il comptait alors comme rénovateur du Conservatisme. De là provenait en effet la désignation de « jeune-conservateur ». Mais cela n'avait de valeur que pour nous, les jeunes. »

Cette narration nous interroge de façon pressante : qui sont donc ces jeunes, et de qui donc les distingue cette référence à une classe d'âge ?

« Carl Schmitt ne se laisse pas entraîner dans cet ensemble, malgré de nombreux points d'accord. »

Voilà donc par qui a été « forgée » la formule. Quant à celle-ci même :

« Je ne désignerais pas la formule comme « jeune-conservatrice ». Plutôt peut-être comme « nationale-révolutionnaire », en tout dernier lieu. »

Ainsi le Dozent de l'État total se qualifie lui-même de *jungkonservativ*, tandis qu'il attribue, non sans hésitations, sa propre formule au signe *national-revolutionär*. Dont il faudra bien constater, par la simple lecture des narrations idéologiques alors en activité, qu'il relève du pôle opposé à celui des Jeunes-Conservateurs, dans cet ensemble ou cette sphère élargie en quoi se dissémine l'extrême-droite allemande sous Weimar : dans l'orbite de ce qui se désigne alors par le terme large de « Mouvement national » — *nationale Bewegung*.

LA FORMULE

Qu'est-ce que l'État total, selon Ernst Forsthoff ? C'est « une formule ». *Der totale Staat ist eine Formel.*

Cette formule, il la définit par le « service » qu'elle va rendre : elle doit « servir à *annoncer*, à l'univers du concept libéral, le commencement d'un État nouveau ». Il s'ensuit, aux yeux de Forsthoff le Dozent, que « l'État total est par là même un mot libéral pour une chose tout à fait non-libérale ». Qu'est-ce donc que cette chose non-libérale ? Une « sorte de communauté étatique ». Mais que l'État total soit avant tout du langage revient comme un refrain. « La formule de l'État total »... *die Formel totaler Staat* ... La formule de l'État total, « parce que c'est une formule polémique, ne contient pas en soi l'entière plénitude de l'État présent ». La formule de l'État total « touche l'État national-socialiste dans l'une de ses propriétés essentielles, dans sa revendication d'une souveraineté enveloppante *(umfassenden)*, détruisant toutes les autonomies ». C'est dans ce sens, souligne Forsthoff joyeusement, que « le Führer l'a faite sienne dans son Discours au Congrès Allemand des Juristes (2 Octobre 1933) [6] ».

Ce sens. Mais quel sens ? En ce sens-là, poursuit Forsthoff, « la désignation d'État total est importante, car elle est immunisée contre toutes les tentatives réactionnaires de rénover les législations particularistes dans le style ancien ». Mais cet aspect ne doit pas conduire à des malentendus. Car, en sens opposé, « l'État total n'est pas l'expression d'un étatisme dépassé, il ne doit pas exprimer l'exigence d'une étatisation totale, car il n'a rien de commun avec la mécanique grossière du socialisme marxiste ». Le *totale Staat* n'est ni *Etatismus* ou *Verstaatlichung*, attribués ici au « socialisme marxiste », — ni particularisme des « tentatives réactionnaires ».

De façon comparable, un an au plus tôt, l'auteur de la *Dottrina del Fascismo* publiée par l'Enciclopedia Italiana — cet auteur à deux têtes, qui signe Mussolini, mais que la tradition écrite du fascisme italien identifie à Giovanni Gentile — affirmait avec résolution que l'État fasciste *non è reazionario, ma rivoluzionario*. Pour le fasciste, ajoutait-il, « tout est dans l'État, et rien d'humain ou de spirituel n'existe et, moins encore, n'a de valeur, hors de l'État. En ce sens le fascisme est *totalitaire* » — In tal senso il fascismo è *totalitario* — « et l'État fasciste, synthèse et unité de toute valeur, interprète, développe et accroît toute la vie du peuple ». Lorsque au substantif *stato* se sera jointe la singulière épithète *totalitario*, on peut dire qu'apparaît dans la langue italienne le syntagme qui domine l'entre-deux-guerres et en marque toute la vie politique : ce néologisme de la sémantique politique dont l'histoire oubliera, fort vite, qu'il a surgi dans le langage mussolinien en tout premier lieu — l'État totalitaire, *lo stato totalitario*.

Un juriste aux ordres, à la fin des années trente, C. Costamagna, assurera que cette notion est la contribution par excellence — le « mérite » — du fascisme italien, comparable à celle du racisme dans l'idéologie allemande...

« VOLONTÉ TOTALITAIRE »

Le mot nouveau ici, le mot dangereux — « totalitaire » —, comment est-il apparu, de quelle provenance et dans quelle circulation, avant de se joindre au terme traditionnel par excellence : l'État ?

Qu'il appartienne au lexique italien, avant d'entrer dans la langue alle-

5 Discours qui a été tenu, en fait, le 4 Octobre, à Leipzig (*Völkischer Beobachter*, 6 okt. 1933). Le 2, Hitler discourait devant les paysans de Hammeln.

mande, peut se vérifier à deux indices. Le premier : c'est que *totalitär* est, un mot étranger, un « Fremdwort » d'origine française, comme tout mot à désinence en -*är*, *revolutionär*, *sekretär*... Le second : c'est que la première traduction allemande de la Dottrina del Fascismo transcrit *totalitario* par le participe présent *umfassende*. En revanche, la traduction du livre « théorique » de Gentile [7] rend le *carattere totalitario del fascismo* par son *totalitäre Charakter*.

La première apparition politique du mot, on la trouve dans l'énoncé mussolinien du Discours à l'Augusteo, le soir du 22 juin de l'an 25 : discours qui constituera une référence fondamentale pour les historiens fascistes, tels que G. Volpe.

Au matin du 21 juin s'est ouvert — dans le théâtre bâti sur les ruines du tombeau d'Auguste, que plus tard le régime fera mettre à nu — le quatrième congrès du Parti National Fasciste (P.N.F.). Le rapport de son secrétaire général, Roberto Farinacci, définit « la caractéristique du fascisme » par « le fait de dénier aux autres partis la légitimité, le droit d'être ou de devenir des facteurs positifs de gouvernement ». En cela, précise-t-il fort clairement, réside « la négation du concept de parti dans le fascisme » : par là même, celui-ci se donne comme le régime qui vise à une « transformation totale de la vie politique italienne ». Le 22 au soir, le Duce prononce son « Discours à l'Augusteo ».

Le Discours à l'Augusteo se place dans une longue chaîne de discours et d'actions, ceux-là étant narration de celles-ci tout en ne cessant de les *produire*. Le 12 juin de l'an 24 a été assassiné par des chemises noires le leader social-démocrate Matteotti. Le 16, Mussolini abandonne le ministère de l'intérieur entre les mains du fondateur de l'Association Nationaliste, Federzoni, monarchiste et prétendu partisan du maintien des libertés constitutionnelles qu'est censée garantir la Maison de Savoie. Federzoni à l'Intérieur, au lieu du Duce, c'est le signe de la « normalisation », du retour aux libertés individuelles. Mais la pression se renverse dans les derniers jours de l'année : les consuls de la Milice fasciste marchent sur Rome afin de ranimer la volonté de leur chef. Ce dernier assume solennellement devant la Chambre, le 3 janvier de l'an 25, la responsabilité « politique, morale, historique » de tout ce qui est alors l'événement raconté. Qui a tué Matteotti ? « Si le fascisme a été une

7 *Origini e dottrina del Fascismo*, devenu *Grundlagen des Faschismus*, Deutsche Verlags-Anstalt, Köln 1936. I. Teil, § 9 : « Totalitärer Charakter der Faschistischen Doktrin. »

association de malfaiteurs, moi je suis le chef de cette association de malfaiteurs. » Trois jours plus tard le ministère de l'intérieur peut annoncer six cent cinquante perquisitions à domicile, cent onze arrestations, la saisie quotidienne des journaux de l'opposition. Le Discours à l'Augusteo est l'une des ponctuations de cette narration conditionnelle : celle des « malfaiteurs » en possession des leviers de l'État italien.

Car « nous avons porté la lutte sur un terrain tellement net, qu'il faut désormais se placer d'un côté ou de l'autre ». La narration débouche sur la résolution, ou la « volonté » :

> « Bien plus : ce qu'on a appelé notre farouche volonté totalitaire poursuivra son action avec une force encore plus grande [8]. »

A cette traduction française, parue dans l'entre-deux-guerres avec l'approbation officielle du régime italien, quel texte original correspondait ? On découvre avec surprise, ici, qu'à une seule version écrite de la traduction répondent au moins *trois variantes* du texte italien original. Deux au moins nous sont fournies par la presse du lendemain, 23 juin.

Celle de l'opposition, dans le journal du parti socialiste-démocratique :

> « Non solo, ma *quella che viene definita la nostra feroce volontà totalitaria,* sarà perseguita con ancora maggiore ferocia. »
> (Il Lavoro, n° 147.)
> « Bien plus : ce qui *est appelé* notre féroce volonté totalitaire, sera poursuivi avec une férocité encore plus grande. »

Celle du journal fondé par Mussolini lui-même, *Il Popolo d'Italia* (n° 148). :

> « Non solo, ma *quella metà che vide definitiva la nostra feroce volontà totalitaria,* sarà perseguita con ancora maggiore ferocia. »
> « Bien plus, ce but que notre féroce volonté totalitaire considère comme définitif, sera poursuivi avec une férocité... »

Enfin le texte italien des *Opera omnia* de Benito Mussolini [9] présente une troisième version :

> « Non solo, ma *quella metà che viene definitiva la nostra feroce volontà totalitaria,* sarà perseguita... »

8 In : *Édition définitive des Œuvres et Discours,* trad. Maria Croci, Flammarion, T. VI, p. 102.
9 1956, Firenze, *La Fenice,* T. XXI, p. 362. Ce texte renvoie pourtant au n° 148 du *Popolo d'Italia.*

« Bien plus, ce but que vient (rendre) définitif notre féroce volonté totalitaire, sera poursuivi... [10] »

Un triangle, ou un cercle, de lapsus ou d'errata vient circonscrire l'énoncé totalitaire primitif, dans la chaîne du récit idéologique mussolinien et la ponctuation de ses résolutions : « Nous avons porté la lutte sur un terrain tellement net, qu'il faut désormais se placer d'un côté ou de l'autre » — *o di qua o di la*.

Mais l'énoncé totalitaire est devenu aussitôt, à son tour, un événement raconté. *Il Popolo d'Italia* déjà l'introduit dans une narration : « Le discours de l'Augusteo a été le discours de l'intransigeance. Le fascisme ne transige pas et ne fait pas de halte. » Toute la suite narrative de « l'année cruciale » se déploie : « Une fois vaincue la campagne de 1924 » — après l'assassinat de Matteotti et la retraite de la gauche sur « l'Aventin » —, « il reprend la marche de la Révolution, décidé à la conquête pleine, totalitaire, inexorable de tous les pouvoirs de l'État » — *alla conquista plena, totalitaria...* L'organe de ce qui avait été l'Association Nationaliste, avant sa fusion avec le parti fasciste initial dans le P.N.F., *L'Idea Nazionale* insiste le même jour sur la valeur polémique du mot : « La même affirmation totalitaire du fasciste est incomprépréhensible pour nos ennemis ». La réponse à cette incompréhension, aussi naïve en soit la formulation, assure sans y prêter grande attention que *cet énoncé est un acte* — « tout d'abord parce que c'est un acte de passion et de foi, avant d'être un énoncé politique ». L'autre raison alléguée entre dans le détail du champ idéologique : nos adversaires démo-libéraux, poursuit l'Idée Nationale, « du fait même de leur mentalité sont disposés à ne pas être eux-mêmes, mais à être capables d'accueillir la parole d'autrui » — *il verbo altrui*. Plaisante situation, aux yeux de qui se donne pour « l'Italien nouveau » : celui qui aide à trouver, « à travers la conscience fasciste l'authentique conscience de la race [11] ».

C'est là, curieusement, la seule allusion explicite à la « féroce volonté totalitaire », parmi les commentaires ou narrations portant sur le Discours à

---

10 La traduction allemande saute l'énigmatique proposition relative : « ... Unser verbissener und totalitärer Wille wird mit noch grösserer Verbissenheit sein Ziel verfolgen. »
Rede Mussolini im Augusteo am 22. Juni 1925 (in : G. Volpe, *Geschichte der Faschisten Bewegung*, 1940, Roma, deutsch v. Rodolfo Schott).
11 *« La genuine espressione de la razza »*. Ce texte relève de ce que l'on pourrait appeler le racisme semi-implicite du fascisme italien, que l'alliance avec les nazis transformera en idéologie expressément raciste.

l'Augusteo que cite le journal même du Duce, *Il Popolo d'Italia*, le 24 juin. Le même jour, la presse de l'opposition raconte en sa langue l'événement parlé — et écrit — que constitue le Discours : celui-ci, selon *Il Lavoro*, est « comme une somme du programme, exprimée en termes péremptoires ». De façon imprécise, référence s'y trouve faite à un co-auteur de certains « concepts » ou de certains énoncés du Discours : dans cette somme « le Président du Conseil des ministres adopte et sanctionne même des concepts que jusqu'alors avait seul exprimés l'honorable Farinacci, comme par exemple la fascistisation des institutions ». Peut-on supposer que « *ce qu'on a appelé* notre farouche volonté totalitaire » appartienne aux « *concepts* » jusqu'alors exprimés seulement par l'honorable Farinacci ? Le journal social-démocrate ne le précise pas. Il se borne à dénombrer, au participe passé absolu, les diverses rubriques du Discours qui constitue son événement raconté : « proclamées l'omnipotence et l'autonomie du pouvoir exécutif...; la bureaucratie déclarée partie intégrante du gouvernement; exprimée une « féroce volonté totalitaire qui sera poursuivie avec une férocité plus grande encore »... Nous ne pouvons que constater : l'État libéral est né *in toto*. »

À l'énoncé « féroce » du Discours à l'Augusteo, sans doute lieu d'apparition premier du langage totalitaire et de son néologisme central, les échos contemporains n'ont donc pas manqué. Il ne paraît pourtant pas que ce terme singulier ait surpris, par lui-même, les témoins de cet emploi initial. Le mot lui-même, l'adjectif semble avoir auparavant existé : il est attesté dans l'usage des assemblées générales des sociétés par actions...[12] Est dite « totalitaria » une séance où le quorum est entièrement respecté. La transcription de ce lexique — emprunté aux sociétés anonymes du capitalisme — sur le terrain politique de l'État, les historiens allemands les plus rigoureusement attachés à ce domaine l'attribuent à Mussolini justement : « C'est Mussolini qui a marqué le concept de « Totalité » étatique[13]. » Peut-être l'absence d'*attention au signifiant* tient-il, dans la presse qui paraît les 23-24 juin de l'an 25, au fait que les témoins l'ont peut-être perçu comme la variante d'un simple superlatif, s'appliquant à cette « transformation totale » que venait d'énoncer l'honorable Farinacci.

Transformation — grammaticale ou lexicale — de la transformation politique, qui en toute occurrence a lieu dans une langue bien déterminée,

12 Enquête à la faculté de Droit de l'Université de Gênes.
13 « Mussolini war es ..., der den Begriff der staatliche « Totalität » geprägt hat » (*Das Fischer Lexikon, Staat und Politik*, « Totalitarismus » : l'article est de Karl Bracher).

nécessairement à structure « latine ». Alors que le suffixe -*är* en langue allemande désigne un mot d'origine étrangère, -*ario* appartient aux formes qui signifient certaines oppositions fondamentales dans la langue italienne. Ainsi *totalitario* apparaît comme l'analogue morphologique et l'opposé sémantique de *frammentario*, comme la *totalitarietà* [14] s'oppose à la *frammentarietà*, après avoir été construit sur son modèle par analogie, au sens saussurien du mot. A la conception mussolinienne de l'État, et du syndicat qui en est la dépendance, Gentile opposera, cinq jours après le Discours à l'Augusteo, la « frammentarietà [15] » de l'État libéral et du syndicalisme libre. Après le philosophe officiel, l'historien officiel du régime : Gioacchino Volpe, opposera son État fort à « L'État libéral, fragmentaire, sans liens, ... en somme agnostique ». Langage qui se reflétera dans celui de Forsthoff, huit ans plus tard : la découverte de « l'État comme tel », c'est-à-dire séparé du pouvoir proprement dit — ou de la violence : *Gewalt* — de l'État, a maintenant « la plus grande signification » dans la formation idéale de l'État de droit libéral. Et, note le Dozent, elle prépare « cette évolution au terme de quoi se tient l'État disqualifié *comme agnostique* [16] ». A cette forme disqualifiée, Forsthoff opposera « les lois de vie totales de l'État intérieurement affirmées » ...

II. RÉVOLUTION CONSERVATRICE

Qu'est-ce que cet État qui n'est ni agnostique ni fragmentaire ? La Réponse technique à la question a été donnée, deux jours avant le *Discorso all' Augusteo*, au moment où la Chambre des députés adopte, sur le rapport du Garde des Sceaux Rocco, la « loi pour la concession au pouvoir exécutif de la faculté d'imposer des normes juridiques » — autrement dit, de la faculté de s'emparer du pouvoir législatif. Lorsque paraîtra en volume le texte de ce rapport, sous le titre général de « La transformation de l'État »,

14 cf Georges Bourgin, *L'État corporatif italien*, Aubier 1935, p. 235. Cf aussi Luigi Lojacomo, *L'independenza economica italiana*, 1937, p. 55 : « Traverso il Partito e le Corporazioni... la totalitarietà del popolo italiano. » Et Julius Cesare Evola, in : *Lo Stato*, jan. 1939 : « Un nuovo amore per la totalitarietà politica. »
15 *Il Lavoro*, 27 juin 1925 : « Intervista Gentile ». Gentile préside alors la Commission des Dix-Huit, ou des « Solons », chargée de préparer ce qui sera la loi Rocco, et qui rendra uniques et obligatoires les corporations du « Syndicalisme national » : achevant ainsi la destruction du mouvement ouvrier commencée pendant l'année 21 par les « escouades d'action », les *squadre*.
16 Souligné dans le texte allemand (*Der totale Staat*, p. 13).

il sera précédé d'une introduction où Alfredo Rocco le nationaliste retracera la genèse du langage « révolutionnaire » à l'intérieur de la langue politique du fascisme italien. « On parle aujourd'hui couramment de la Révolution fasciste. L'expression, qui suscitait encore il y a peu de temps, et jusque dans le camp fasciste, quelque répugnance, est désormais universellement acceptée pour désigner ce phénomène complexe qui commence en 1919 avec la formation des Faisceaux de Combat, s'affirme avec la marche sur Rome le 28 octobre 1922, et qui graduellement mais incessamment, pendant ces quatre dernières années, a transformé l'esprit des masses et la structure même de l'État ». Mais comment s'articule ce langage, *accepté* d'abord par ses propres usagers avec « répugnance » ? C'est que le but de toute révolution, poursuivait Rocco,

> « est de créer après avoir détruit. Pareille à l'abeille qui meurt en engendrant, la révolution comme telle s'éteint, quand l'ordre nouveau est créé. A ce moment la révolution est devenue — qu'on me permette l'antithèse — conservatrice ».

Cette *antithèse de Rocco*, énoncée en l'année 27, est présente, à l'état moins explicite, dans un discours de Gentile prononcé le 28 octobre de l'an 24, pour le second anniversaire de la Marche sur Rome. Discours en forme de constat narratif :

> « telle est la foi de Benito Mussolini, Messieurs, notre foi. Foi monarchique, foi loyalement conservatrice, mais foi qui est aussi courageusement constructive. Construire pour conserver, conserver pour construire (...) Et pourtant ces problèmes, si aujourd'hui, à deux années de la Marche sur Rome, après deux années de gouvernement qui ont voulu être celles d'une réorganisation essentiellement conservatrice pour la vie du pays (...), si l'on veut les résoudre dans leurs termes fondamentaux, il faudra bien pour eux réaliser une révolution. »

Ainsi l'antithèse de Rocco trouve dans le langage de Gentile son inverse. Quand l'ordre nouveau est créé, la *révolution* fasciste est devenue *conservatrice*, affirme Rocco. La réorganisation essentiellement *conservatrice* du fascisme doit réaliser une *révolution*, assure Gentile. Il est vrai qu'ils ne parlent pas tous deux en même temps — sans omettre le fait que le philosophe hegelien provient, comme son ami Croce, du centre libéral, et le garde des Sceaux de l'extrême-droite nationaliste. Gentile en appelle à une « révolution » en octobre 24, Rocco veut qu'elle soit devenue « conservatrice » en l'an 27. Dans la deuxième moitié de l'année 24, la réorganisation « essen-

tiellement conservatrice » a atteint son terme et, après l'assassinat de
Matteotti, il devient soudain nécessaire de « *parler couramment* » de « Révolution fasciste » : ce parler courant va passer par *l'énoncé totalitaire primitif*
de la « féroce volonté ». Dans l'année 27, à l'inverse, ce parler a rempli sa
fonction et joué son rôle, il est temps de lui faire dire que la réorganisation
« essentiellement conservatrice » a pu « réaliser une révolution », qui se
révèle à nouveau « devenue conservatrice » — « conservatrice du nouveau
système qui est né d'elle ».

Chaque fois, l'un des deux éléments de l'antithèse appartient à la narration de ce qui s'est accompli; l'autre, à la résolution d'agir et à la « volonté »
du but décrit. *Après* deux années de pouvoir on peut raconter celles-ci en
termes de « réorganisation conservatrice », mais pour décider qu'il *faudra*
bien « réaliser une révolution » — selon Gentile. A l'inverse — selon Rocco
— *on parle* « aujourd'hui de révolution » au sens fasciste du mot, mais le
but en est « de créer », c'est-à-dire de se révéler ou d'être déjà « devenue
conservatrice ». Dans l'antithèse de Rocco comme dans celle de Gentile,
le passage d'un terme à l'autre de l'opposition nous introduit dans *la géné-
ration, par le récit idéologique lui-même, de l'action politique « voulue »* :
révolution prétendue, qui procède de la réorganisation conservatrice et
que va promouvoir sa féroce volonté — ou « création » toute conservatrice,
que la destruction prétendument révolutionnaire va « engendrant » : c'est
le mot dont use naïvement Rocco. Tel est le procès que ce dernier place,
de façon tout à fait initiale, à la base de ce qu'il nomme la transformation
de l'État. La narration du conservatisme va en venir à *réaliser* une volonté
de révolution, selon Gentile; la narration de ce qui est parlé désormais
comme révolution va *engendrer* son extinction conservatrice, selon Rocco.
Le rapport — ici sournoisement pernicieux — entre narration idéologique
et engendrement de l'action se développe à la base de ce que l'on pourrait
désigner comme la transformation de Rocco.

Car tout, dans le discours de Gentile ou de Rocco, de Mussolini et de
Farinacci, n'est, si l'on veut, que langage. Mais ce langage est à chaque
moment l'action même, et sa performance : sans avoir besoin de revêtir
les formes grammaticales particulières de ce qui a été appelé le « perfoma-
tif [17] », le propre de ce terrain particulier qui englobe tous les autres et que
l'on nomme l'histoire, c'est en effet qu'en chacune de ses séquences, et selon

---

[17] Au sens d'Austin.

la formulation mallarméenne qui s'appliquait à la scène du théâtre, énoncer signifie produire.

Toutes les variations autour de l'antithèse de Rocco, comme autour de l'énoncé totalitaire de Mussolini et Gentile, ou de la formule de Forsthoff et Carl Schmitt, ont ceci de commun : elles nous font toucher de la main la jointure du langage et de l'action réelle. La formule du *totale Staat*, écrira Carl Schmitt en février de l'an 33 — dans le même lieu que son premier texte sur ce sujet : l' « Europäische Revue [18] » —, cette formule n'est pas seulement éclairante *(einleuchtende)*, elle est active et productrice de *Wirkung* — elle est *wirksam* [19]. Mais son rapport à l'action est sans cesse soumis à des déplacements enchevêtrés. Fort différents, et même opposés à cet égard dans leurs effets, selon qu'il s'agit de la version italienne ou du « modèle » allemand.

C'est cette jointure qu'il s'agit de poursuivre, bien plus que la rhétorique des discours et récits. Comment ce que le récit *rapporte* peut-il être transformé par lui : voilà notre question.

L'ANTITHÈSE ET LA FORMULE

La version italienne se développe à cet égard sans contradictions. Le discours mussolinien du 14 novembre de l'an 33 « Pour l'État corporatif » rend manifeste et officielle la jonction entre l'épithète et le nom : « pour installer le corporatisme complet, intégral, révolutionnaire (...), après le parti unique, il faut l'État totalitaire. » A cette date, un mois avant que le Duce italien n'ait ainsi relié à l'État l'adjectif qu'il attribuait d'abord à sa féroce volonté, le Führer allemand déjà avait désigné comme *totale Staat* l'État hitlérien. Pourtant Carl Schmitt ajoutait à son éloge de la formule, en février de la même année, une allusion énigmatique : « Aujourd'hui, plus d'un sont même allés plus loin, encore une fois, et ceux-là ont déjà réfuté et surmonté en esprit le « totale Staat ». » Qui donc est allé ainsi « plus loin » ? Les guillemets mis autour de la formule par le juriste même à qui les grands dictionnaires de l'après-guerre attribuent l'action d'avoir « marqué » celle-ci ou, plus encore, de l'avoir forgée, estampillée ou frappée — c'est le même mot, *geprägt*, dont use K. Bracher pour désigner la contri-

---

18 Là paraît « Le tournant vers l'État total », « *Die Wendung zum totalen Staat* », dont la reprise abrégée sera le pivot de *Der Hüter der Verfassung*.
19 La définition de cet adjectif par le Sachs-Villate est : *Wirkung hervorbringend*, « produisant de l'action ».

bution de Mussolini —, ces guillemets introduisent une ironie bien surprenante autour d'un énoncé qui va être, par Carl Schmitt lui-même, défini comme *numen praesens.*

Dans une lettre de l'après-guerre, à la question : quand et où est apparue tout d'abord cette expression, Carl Schmitt lui-même le reconnaît fort clairement, on l'a vu : « avant mon livre de 1931, « Der Hüter der Verfassung », la formule « totaler Staat » n'était pas usuelle en Allemagne, ni dans la conscience commune ni dans la littérature scientifique spécialisée [20]. » En février de l'année 33 il lui est possible de la citer entre guillemets pour annoncer que déjà on la réfute et la surmonte. Et pourtant, ajoute celui que l'on va nommer le Kronjurist de l'Empire nouveau, le juriste de la Couronne, pourtant « il y a un État total » — *es gibt einen totalen Staat.*

Les moyens de la puissance que lui propose la montée croissante de la technique, tout État dans le monde moderne est contraint de les maîtriser, notamment les moyens militaires. Depuis la bataille de matériel sur la Somme, Jünger l'a montré, la société a livré à l'État les conditions d'une mobilisation totale et permanente de ses forces. Une fois apparues la mitrailleuse et le tank, inventions toutes françaises, il n'est pas de force politique qui ne soit dans la nécessité de prendre en mains les armes nouvelles, sous peine de voir d'autres en user. — Mais la République de Weimar, poursuit Carl Schmitt, a réalisé un tout autre mode de l'État total que celui dont cette mobilisation est l'annonce. Aujourd'hui avec le pluralisme de « l'État des partis » une forme se développe qui n'est totale qu'*en un sens purement quantitatif,* par le simple volume, et non par l'intensité et l'énergie politique. L'État allemand d'aujourd'hui, affirme le futur juriste de la Couronne, est total par faiblesse, *total aus Schwäche, quantitativ total :* totalement livré aux partis et aux organisations d'intérêts. Mais par là même il appelle la mutation décisive qui va prendre appui sur celui dont l'autorité a sa source « dans les temps prépluralistes » : le Président du Reich. De pareille décision résulterait, en accord avec ce que Jünger appelait à la fin de l'année 32 la mobilisation totale de la technique — l'apparition du véritable État total, *qualitativ total, total aus Stärke,* total par force, qualitativement total [21] : « Total au sens de la qualité et de l'énergie à la façon dont l'État italien se

---

20 Lettre à l'auteur, du 5 septembre 1960.
21 Cette opposition entre « quantitativ total » (aus Schwäche) et « qualitativ total » (aus Stärke) apparaît déjà dans *Legalität und Legitimität* en 1932 : où sont retournés contre la République de Weimar et de Max Weber les concepts weberiens de la souveraineté.

nomme lui-même un « stato totalitario », ce par quoi il veut dire avant tout que les nouveaux moyens de puissance appartiennent exclusivement à l'État et servent à l'accroissement de sa puissance. » Nulle part Carl Schmitt n'a plus nettement énoncé la provenance et l'enjeu de la formule qu'il a forgée et frappée : l'État total dans son modèle allemand est total au sens de la qualité et de l'énergie, c'est à-dire au sens où « l'État fasciste se nomme « État totalitaire » — *Wie sich der faschistische Staat einen « stato totalitario » nennt.*

Contre Weimar, et par référence au langage jüngerien de la mobilisation totale, Carl Schmitt nous l'assure : il a traduit dans son *totale Staat* le *stato totalitario* mussolinien et gentilien. Il l'atteste encore lorsqu'il décrit, dans un essai de l'année 37, « la doctrine fasciste de l'État total » — *die faschistische Lehre vom « totalen Staat »[22]*. A ce niveau de correspondance doctrinale, le « *total* » allemand traduit le « *totalitario* » italien, — avant d'être supplanté par le néologisme étranger de la traduction littérale : par *totalitär.*

Remarquable est le fait, souligné par Carl Schmitt, que la doctrine fasciste en question est désignée comme allant « au-devant » du concept de guerre totale, et que dans l'image jüngerienne de la Mobilisation totale, une fois de plus évoquée, est « implanté le *noyau* de la chose ». Car là, poursuit Carl Schmitt, viennent se déterminer « le mode et la figure de la Totalité de l'État ».

Or précisément la publication où paraissent des énoncés aussi clairs est celle dont le directeur — Karl Anton Prinz Rohan, prince de Rohan et descendant austro-bohémien de Wallenstein, fils de l'émigration française et de la Guerre de Trente ans — publiait en l'année 23 un éloge caractéristique du fascisme italien. Qu'est-ce que le fascisme? « Le fascisme est tout entier révolutionnaire ... Le fascisme est tout entier conservateur » — ... *durchaus revolutionär ... durchaus konservativ.* Avant même que l'antithèse de Rocco ou de Gentile ne soit énoncée, celui qui allait publier de Carl Schmitt « Le tournant vers l'État total » s'efforçait de décrire le phénomène italien dans des termes empruntés à une chaîne de langage bien précise en Allemagne. Moins de dix ans plus tard, un juriste italien fait paraître, aux mêmes Éditions Hanséatiques que Forsthoff (et avec une préface allemande

22 «Totaler Feind, totaler Krieg, totaler Staat », in : *Positionen und Begriffe im Kampf mit Weimar, Versailles, Genf*, Hanseatische Verlags-Anstalt, Hamburg 1940, p. 234.

d'un certain Albrecht-Erich Günther), un livre intitulé « Fascisme et nation » : version allemande dont l'avant-propos précise qu'elle a été entièrement « réadaptée au public allemand [23] ». Là se fait avec précision la jonction entre l'antithèse et la formule.

Maintenant, affirme le juriste Bortolotto, « le fascisme est une Révolution conservatrice, dans la mesure où il a exalté le principe de l'autorité et où il l'a renforcé contre une liberté démocratique exagérée et sans mesure ». Quelques séquences plus haut, les deux termes opposés de *l'antithèse* s'y trouvaient explicitement développés — pour être mis en convergence paradoxale dans la *formule*. « Lorsque nous disons : « Droite et gauche » ..., une « Nation unie » — cela c'est du fascisme! Le fascisme a surmonté la crise de l'État par une double décision. Avec le nationalisme il se décide pour la Droite, avec le syndicalisme pour la Gauche. Ainsi pouvait-il créer l'État unitaire et total. » L'entière narration juridique du fascisme dans son adaptation allemande peut s'étendre entre ces deux énoncés fondamentaux ou ces deux « noyaux » : *Nun ist der Faschismus eine konservative Revolution* ». — « *So konnte er schaffen den (...) totalen Staat.* »

Entre l'antithèse de Rocco et l'énoncé mussolinien toute une chaîne ou plutôt un champ entier de transformations dessinent un réseau de rapports. Celui que l'on verrait se tisser également entre deux affirmations du Führer allemand : « Ich bin *der konservativste Revolutionär* der Welt [24] » — « *Der totale Staat* werde keinen Unterschied dulden zwischen Recht und Moral [25] ».

Mais le rapport que Guido Bortolotto fait apparaître dans son adaptation allemande entre l'antithèse de la Révolution conservatrice et la formule de l'État total prend toute son ampleur du seul fait que dans l'Allemagne de Weimar il ne s'agit plus, pour le premier de ces énoncés, d'une expression hasardée comme en s'excusant (« si mi passi l'antitesi », demande Rocco), mais d'une longue *série* d'énonciations, qui traverse la période entière de la République de Weimar et pénètre profondément dans celle du Troisième Reich, au point culminant de ses tensions : celles du printemps de l'an 34. La « *rivoluzione conservatrice* » est l'improvisation d'un jour et une hardiesse

---

23 *Faschismus und Nation*, Hanseatische Verlags-Anstalt, 1932.
24 *Völkischer Beobachter*, 6 juin 1936.
25 Id. 5 okt. 1933. La traduction anglaise de N.H. Baynes (*The speeches of Adolf Hitler, An English translation of representative passages arranged under subjects*, Oxford Univ. Press, 1942, T. I, p. 523), donne : « The *totalitarian State* will make no difference between law and morality. »

de langage dont s'excuse le garde des sceaux italien. La « *konservative Revolution* » est une tradition politique qui parcourt tout le champ idéologique de la Droite allemande, disons au moins : de l'année 21 à l'an 34 et même, au-delà, jusqu'à l'année 40 [26]. En suivre les énoncés dans ce champ revient à voir se tracer un continent politique, qui coïncide dans l'ensemble avec celui que tracent en circulant d'autres formulations : « Mouvement national », « Révolution nationale » — *nationale Bewegung, nationale Revolution.* L'antithèse décrivant l'envers, ou pour ainsi dire la doctrine sourde (ou ésotérique), de cela dont ces autres syntagmes sont l'ouverte proclamation.

LANGAGES, CORPS SOCIAUX : RÉCIT SOCIOLOGIQUE

Suivre les tracés de l'antithèse et de la formule sur la surface du champ idéologique, propre à la Droite allemande et à son « Mouvement national », va faire apparaître une topographie cachée. Topographie qui se meut dans un espace lui-même flexible : topologie, bien plutôt, où voisinages et distances se transforment, et peuvent se mesurer en termes d'union et d'intersection des *ensembles de langages.* (La distance entre deux ensembles pouvant être considérée comme équivalente à leur « différence symétrique [27] ».)

Bien plus : les intersections ou, ce qui est synonyme, les produits logiques de ces ensembles ou de ces « versions » sont les lieux ou plutôt les lignes où *se multiplie* ce que l'on pourrait provisoirement désigner comme une « énergie » du langage ou, plus précisément, un pouvoir de crédibilité. Dessiner ou construire les lignes de ces intersections, équivaut à dresser le tableau de ces états d' « énergie » ou de crédibilité.

Suivre les tracés du *langage,* c'est relever des énergies ou des crédibilités *sociales.* La chambre de Wilson est aussi ce lieu expérimental de la physique des particules, où le seul déplacement des tracés *lumineux* traduit les structures formelles des éléments et les transformations de leur énergie *matérielle.* Ici le scintillement des termes — mots, phrases, séquences — et l'empreinte du discours entier traduisent les rapports et les déplacements de rapports entre les groupes où s'échangent, et qui échangent, ces langages. La sémantique des éléments du discours (et la syntaxe qui règle l'engendrement de ses chaînes) traduit les rapports et les déplacements de rapports entre des « objets » réels — groupes d'échangistes et groupes-changeurs — relevant

26 H. Rauschning, *The Conservative Revolution,* New York 1940.
27 A paraître : « Vers une formalisation. »

d'une sociologie de ces langages. Quelque chose de comparable à la relation qui se constitue entre la topologie (et l'algèbre) des éléments formels d'une part, et de l'autre la physique des corps ou des particules matérielles, vient transparaître ici : entre la syntaxe des versions ou des récits idéologiques, et la sociologie des groupes d'échangistes et de changeurs. La sémantique (et la syntaxe) de l'histoire ne cessant de se déterminer dans une sociologie des langages.

Entre l'émission de langage et ces *corps* sociaux qui l'échangent, le renvoient ou, si l'on préfère, le reflètent, la relation qui se joue développe des similitudes avec celle qui est jouée entre l'émission lumineuse et les corps matériels : similitudes trop saisissantes et précises pour n'être que métaphore. Il n'est pas temps de la mettre en question expressément ici. Mais déjà l'on peut noter chez l'un des partenaires du jeu — Karl Mannheim, à la fois observateur et récitant, en même temps porteur d'une précise version idéologique, celle des sociaux-démocrates, et tendant à l'observation « flottante » de la sociologie de la connaissance —, on peut relever chez lui une référence significative au fait de la propagation lumineuse. Distinguant du vieux relativisme philosophique ce qu'il nomme le relationisme, il en prend pour modèle « la théorie qui ramène toutes mesures des corps au rapport, fondé par la lumière, entre le mesurant et le mesuré ». Quand Mannheim vise à constituer une méthode comparable à la théorie de la relativité généralisée, quel équivalent va-t-il trouver du « rapport fondé par la lumière » ? Le relationisme, précise-il, ne signifie pas que dans la discussion il n'y a pas de décidabilité (Entscheidbarkeit), mais qu'il appartient « à l'essence d'énoncés déterminés » d'être formulables, non de façon absolue, mais seulement dans des « structures d'aspects » toujours liées au point de vue. Mais par quoi va se déterminer « le rapport entre le mesurant et le mesuré » ? Mannheim le précise encore : la sociologie de la connaissance est « plus qu'un récit sociologique », de ce simple fait que « des vues déterminées procèdent d'un milieu déterminé »; mais elle est « aussi une critique », car elle reconstruit « la force de prise des énoncés et ses limites ». Non seulement *soziologische Erzählung*, mais aussi *Kritik*, la théorie qui est cherchée n'a pas pour autant défini l'équivalent de ce que fonde l'émission et la propagation lumineuse dans la théorie physique, c'est-à-dire le rapport entre le mesurant et le mesuré.

Or la propagation lumineuse entre les corps matériels, dont la mesure sera l'événement fondamental avec lequel s'ouvre la physique moderne, est ce par quoi est rendue possible toute mesure. Ce qui se propage entre les corps sociaux est cela sans quoi ne peut être fondé ou *produit* le rapport entre mesurant ou mesuré : c'est le langage. Non pas le langage mort ou inerte des lexiques, mais le langage chargé de sa force de prise justement — le récitatif, le langage dans sa fonction récitative ou narrative. C'est la *Critique de la fonction narrative* qui ouvre la possibilité d'une théorie des champs de l'histoire : des champs linguistiques et des champs sociaux, dans leurs rapports de déplacements connexes et réciproques.

Ce qui a fait défaut à la « sociologie de la connaissance » et à Mannheim, au nœud même de leur tentative, c'est l'accès à ce qui était justement en train de se constituer en théorie scientifique, dans leur proche voisinage. Un nom de linguiste est nommé par lui incidemment : celui de Weisgerber, l'adversaire acharné, le délateur du Cercle linguistique de Prague, lieu où se constitue une science théorique du langage, capable de fournir des clés ou des perspectives méthodologiques à la vieille physique sociale. Si Mannheim se réfère souvent à Carl Schmitt, en le mettant sur le même plan que Weber ou Lukács, comme les trois seuls à être capables d'« analyse de structure » en matière d'idéologie — Carl Schmitt [28], qui sera idéologiquement son adversaire absolu —, en revanche aucun des grands linguistes du Cercle de Prague, ses contemporains, n'est chez lui, même une seule fois, nommé.

Les objections opposées avec pertinence à ce que Mannheim voulait désigner comme Wissens-soziologie sont de deux ordres. D'abord, que la méthode admettant au départ la correspondance des situations et des « idées » est arbitraire. Ensuite, que l'on ne passe pas en toute simplicité, d'une interprétation du monde à une autre, par un simple effet de « traduction » : on ne peut « traduire » l'une dans l'autre « vision marxiste » et « vision libérale ». Prise dans le piège d'un effort désespéré pour concilier les « visions » ou les « aspects », la tentative de Mannheim ne pouvait s'en dégager que par un déplacement dans le terrain même de la méthode : par la prise en compte de cette objectivité sociale — quasi-matérielle ou, plutôt, énergétique — de l'idéologie comme énoncé, comme discours — ou, plus précisément, comme énoncé rapportant son référent, ou comme « récit ».

Échapper aux contradictions et aux impasses de la sociologie de la

---

28 Auteur du « Contre-concept », selon Mannheim lui-même. Celui-ci va citer Carl Schmitt citant Mussolini.

connaissance, telle que l'entendait Mannheim, c'est introduire la possibilité d'un *récit sociologique* qui soit en même temps une *critique* de la fonction récitative. Qui, dans notre modèle, s'attache à reconstruire les tracés de la « formule » et de l' « antithèse », dans le langage qui est émis par les divers groupes ou corps sociaux de l'entre-deux-guerres allemand, et propagé ou échangé entre eux.

VERSIONS

Relever les usagers de la « formule », c'est trouver en chemin les noms de Carl Schmitt, Ernst Forsthoff, Ernst Rudolf Huber, Ernst Krieck, Otto Koellreutter, Gerhard Günther : tous, ou presque, juristes ou « philosophes », enfermés dans l'enceinte étroite de l'élaboration doctrinale sur le terrain du Droit ou de la philosophie de l'État — mais toujours gravitant autour des énoncés d'Ernst Jünger sur la mobilisation totale. Retrouver les polémiques hostiles à la formule, à l'intérieur du Mouvement national, ferait apparaître, dans des contextes finalement opposés, les noms de Heinz Otto Ziegler — tué au combat, pendant la guerre, dans l'uniforme de la R.A.F. — et d'Alfred Rosenberg.

Suivre à la trace les usagers de l' « antithèse », tout au contraire, c'est errer dans un dédale où le langage idéologique déborde largement les registres de l'État et du Droit : c'est entrer étrangement dans le trouble d'une « poétique » de l'idéologie, où apparaissent les noms du Thomas Mann nationaliste de l'année 21; et de Hugo von Hofmannsthal, — mais aussi ceux de Moeller van den Bruck et d'Otto Strasser, d'Edgar Jung et de Hans Zehrer, de von Papen et d'Hermann Rauschning. Reconstituer, ici encore, les polémiques autour des mots, ferait trouver à nouveau le nom de Rosenberg, mais cette fois dans une chaîne paradoxale. Car le Reichsleiter, le leader du Reich pour la Vision-du-monde a pris position le 28 avril de l'an 34 en faveur d'un usage tout positif de l'antithèse, dans son Discours de Königsberg. Mais dès le 19 juin du même printemps il s'en prenait au contraire avec véhémence aux « mots de Révolution conservatrice ».

La bataille autour des « *mots* » propagés traduit ici une lutte des *groupes* armés — ou des partenaires du pouvoir social. Rosenberg s'en prend dans son article du 19 juin au discours tenu deux jours plus tôt à Marburg par Papen le vice-chancelier, qui à ton tour se référait à son propre Discours de Königsberg. Mais Discours de Marburg et Discours de Königsberg s'annulent l'un l'autre : l'éditorial du 19 juin où Rosenberg, sur la page du

« Völkischer Beobachter », annonce le tourbillon qui s'achèvera par les massacres de la nuit des longs couteaux.

Or déjà, le 9 janvier de l'an 34, le même Rosenberg avait condamné sans réserve la marque ou l'estampille de « l'État total » — *die Prägung vom « totalen Staat »* —, en même temps qu'une « formule sans contenu de Moeller van den Bruck sur le droit des jeunes peuples ».

Ici l'on peut voir se dessiner la topographie de l'échange et de la circulation des langages. Car Moeller, Forsthoff, Papen appartiennent tous trois à la même orbite, que jalonnent dans le temps les noms du Club de Juin, puis du Club Jeune-Conservateur et du Club de Messieurs. *Juni-Klub, Jungkonservative Klub, Herrenklub :* autant de repères qui désignent ce que les témoins et narrateurs allemands de l'après-guerre désigneront du nom du second d'entre eux dans notre énumération, ou du nom de son organe, *Der Ring,* L'Anneau — comme « mouvement jeune-conservateur » ou « mouvement de l'Anneau ».

Dans l'un des numéros de cette revue mensuelle le secrétaire du Club des Messieurs précisément, et l'ancien bras droit de Moeller, Heinrich von Gleichen juge avec sévérité et inquiétude un mouvement dont l'organe, *Der Vormarsch,* l'Avant-Garde, est alors animé par Ernst Jünger (celui même auquel se réfèrent expressément et à peu près sans exception les idéologues de l'État total), et représenté par l'un de ses rédacteurs comme l'expression de la *nationalrevolutionäre Bewegung :* du « mouvement national-révolutionnaire ».

Ainsi donc, à l'intérieur de l'ensemble de récits idéologiques que parcourent en divers sens les tracés de l'antithèse et de la formule, une polarité transparaît, que marquent les deux termes partiellement opposés de *jungkonservativ* et de *nationalrevolutionär.* Partiellement opposés, car chacun d'eux est constitué à son tour d'une « antithèse », dont le temps faible (ou l'épithète) tranpose le temps fort (ou le substantif) de l'autre : *jung-* signifiant *-revolutionär,* et *national-* étant, Moeller le dit expressément, l'équivalent de *-konservativ.* Car la volonté de fonder le « Troisième Reich », « aujourd'hui on ne la nomme plus conservatrice : déjà on la nomme nationale... Le nationalisme... est conservateur ».

Le propre des éléments du champ, c'est d'être précisément traversés par cette polarité dans leurs segments mêmes ou dans leurs chaînes. A cet égard l'opuscule de Forsthoff est exemplaire.

POLARITÉ

L'État total, pour Forsthoff, est « l'opposé de l'État libéral ». C'est l'État « dans la plénitude englobante de son contenu, en opposition avec l'État libéral vidé de contenu, réduit au minimum et rendu nihiliste » *(nihilisierten)* par l'effet des autonomies, c'est-à-dire des sécurités et des législations particularistes. Et Forsthoff enchaînait : l'État total est une formule, est un mot... Langage qui ne désigne ni les « particularismes réactionnaires du vieux style », ni « la grossière mécanique du socialisme marxiste » — mais qui trouve une polarité d'un autre ordre dans le champ que recouvre un terme singulier, celui dont le narrateur de « Mein Kampf » a fait un usage abondant : le *völkische Staat.* Car « il est devenu possible d'accomplir la distinction, indispensable pour un État *völkisch*, entre l'ordre de la domination et l'ordre du peuple » : *Herrschaftsordnung* und *Volksordnung.* Le développement des deux thèmes va faire apparaître ce qui est à la fois ici la polarité et son entrecroisement.

Car le côté de la *Herrschaft* est celui de l'autorité et de sa conservation. Le côté du *Volk*, du « peuple », semble devoir être celui de la révolution fondamentale, qui donne ou tend à donner sa souveraineté — *Herrschaft* — au peuple justement. Mais la différence, la *distinction* dont Forsthoff a dit qu'elle est le propre de l'État total, fait qu'il est impossible à celui-ci de se fonder sur la souveraineté populaire. Le côté conservateur de la *Herrschaft* va se développer fort clairement : ses « deux éléments » sont le commandement et la bureaucratie : *Führung, Burokratisierung.* Le côté « révolutionnaire » du *Volk* en revanche va se mouvoir dans l'ambiguïté : il est celui de la conscience *völkisch* [29], c'est-à-dire (car les choses soudain redeviennent claires) « conscience de la race [30] », et *Rassefrage* — question de la race, *Sterilisationgesetz* et, finalement et explicitement, *Antisemitismus* [31]. Le côté du peuple débouche sur cette phrase apologétique, qui commente la loi du 14 juillet 1933 sur la stérilisation : « il y a de nouveau des parias en Europe » — *es gibt wieder Parias in Europa.*

Le côté le plus « révolutionnaire » est donc le plus conservateur : l'apologie du racisme, le dénigrement du mouvement ouvrier au nom de « l'ordre concret » et de la « responsabilité concrète », ou encore de la « responsabilité

29 Völkische Bewusstsein (*Der totale Staat*, p. 44).
30 Rassebewusstsein (*op. cit.* p. 45).
31 La quasi-équivalence *völkisch : Antisemitismus* est déjà manifeste ici.

totale », procèdent de ce côté-là pour rejoindre le précédent, dans l'allégation perpétuelle de la « Totalité ». Ce qui a été séparé par la « distinction », et perverti par l'entrecroisement, est réuni par la magie de la *Totalisierung*. Car « l'administration bureaucratique est liée à des limites, qui sanctionnent par l'échec toute tentative de leur part vers la totalisation » — et ainsi se justifie sa subordination à une *Führerordnung* qui place au-dessus des lois universelles ses « décisions concrètes ». Semblablement, la responsabilité « concrète » qui se lie aux lois raciales ou à l'élimination des syndicats débouche dans cet « État de la responsabilité totale » en quoi l'État total est censé se résumer : *Der totale Staat muss ein Staat der totale Verantwortung sein*. Le prototype ou le prodrome de ces formes, Forsthoff le voit, reprenant les termes de Jünger, dans la *totale Mobilmachung* d'août 1914. L'opposé caractéristique, il le désignera dans l'État de Droit, comme forme de la décadence, de la chute ou de l'abaissement : de la *Verfallsform*.

III. *L'ENTRECROISEMENT*

La polarité qui ordonne l'ensemble entier du langage, dans « l'État total » d'Ernst Forsthoff, elle est développée au grand jour dans le livre de celui qui a fondé en juin de l'an 19 le Club de Juin, forme primitive du *Jungkonservative Klub* des dernières années vingt et des premières années trente. Ce fondateur, Moeller van den Bruck, le préfacier de sa troisième édition va le qualifier de « révolutionnaire conservateur » : préfacier qui précise pour conclure que le « Troisième Reich », dont Moeller a fait le titre de son livre, « ne veut pas être un événement littéraire » — mais bien plutôt une « chose dure et droide ».

Comment a pu se faire chose dure et froide le minuscule événement littéraire qu'était la parution, au début de l'année 23, du « Troisième Reich » de Moeller van den Bruck, un indice le laisse percevoir dans cette préface de Hans Schwarz : Moeller, résume-t-il, « voulait amener le socialisme à un autre stade, où celui-ci s'allierait au nationalisme ». Tel serait « ce socialisme des peuples qui nous conduirait à l'idée allemande, à cette idée d'où naîtrait l'idée du Reich, du Troisième Reich ».

Le narrateur Hans Schwarz, résumant la narration de Moeller pour le lecteur de l'année 30 — « ce qui revient à dire qu'il voulait amener le socialisme à un autre stade... » — fait apparaître en toute naïveté le fonctionnement fondamental de ce que Thomas Mann, une fois éveillé de son songe nationaliste, a appelé l'entrecroisement. Moeller, selon H. Schwarz, parce qu'il escomptait le triomphe de l'extrémisme, cherchait en l'attendant à « former des hommes provenant de camps différents ». Mais, jouant sur cette différence afin, souligne Schwarz, de « vivre de la force des contrastes », il la tire vers le lieu où se tiennent ceux qu'il nomme les nouveaux chefs, lieu d'une prétendue régénération spirituelle qui « ne pouvait s'accomplir que là où s'affirmait la tendance conservatrice ». Ainsi les hommes provenant de camps différents ne peuvent vivre la *force des contrastes* que là où s'affirme le camp conservateur. Ce que Hans Schwarz raconte mieux encore en recherchant dans la presse politique de l'année 30 « les traces des formules de Moeller » : vivre la force des contrastes, c'est avant tout, et tout à la fois, acte de « se détourner du libéralisme comme de la mort des peuples, nationalisation du socialisme et socialisation du nationalisme dans le conservatisme révolutionnaire, et droits des peuples jeunes ». Et il enchaîne la conséquence aussitôt : « Les nationaux-socialistes se sont emparés de l'expression de Troisième Reich. »

Le livre qui se veut froid et dur commence par le chapitre « Révolution » pour s'achever sur le chapitre « Conservatisme » : juste avant la conclusion qui s'intitule « Le Troisième Reich ». Que l'antithèse rassemble en effet la force de ses contrastes dans une telle « expression » — comme Bortolotto a montré qu'elle le faisait également, sur un terrain plus technique juridique, dans la « formule » de l'État total —, toute la narration idéologique de Moeller van den Bruck le fait voir avec évidence.

Évidence de la stratégie narrative.

D'abord les contrastes :

> « la pensée conservatrice se distingue de la pensée révolutionnaire en ce sens qu'elle n'a pas confiance en des choses créées à la hâte et dans un bouleversement. » Ou : « la révolution est née de la trahison » — « l'État, c'est la conservation ».

Puis les contrastes pliés :

> « en fait les deux buts, ce que veut le révolutionnaire et ce que veut le conservateur, vont absolument dans le même sens. » Et « nous voulons faire une sorte d'alliage conservateur-révolutionnaire ». Car — et là se retrouve l'opposition, ou le truisme pernicieux, de Rocco — « ce qui est révolutionnaire aujourd'hui sera conservateur demain ».

Ensuite, pliure du contraste dans un sens bien déterminé :

« Nous voulons rattacher ces idées révolutionnaires aux idées conservatrices. » Et « la question est seulement de savoir si le conservateur devra triompher de la révolution, ou si le révolutionnaire trouvera de lui-même le chemin du conservatisme » — Puisqu'il s'agit de « dompter de façon conservatrice le mouvement de la révolution ». En effet « pour la pensée conservatrice, les expériences révolutionnaires sont un détour », et face au révolutionnaire « la pensée conservatrice compte avec lui et cherche à l'englober dans sa politique ». Car « le conservateur... sait simplement que le monde sera *toujours tel qu'il est*, de par sa nature, c'est-à-dire *conservateur* ».

Enfin, retournement entier du « contraste » sur la « Totalité » retrouvée :
« le conservateur affirme que malgré ses transformations... le monde sera appuyé, lié et englobé politiquement en partant de l'État ». Et si « le révolutionnaire veut la nouveauté dont parlait Lénine », « le conservateur est convaincu que cette « nouveauté » sera toujours englobée, non par les « choses anciennes »; mais par la « Totalité » dont elle n'est qu'une partie ».

Totalité qui pourrait résorber et « englober » en elle ce qui change, dans le monde *tel qu'il est*. Sans doute « le communisme a pour lui l'avantage des soixante quinze années durant lesquelles le prolétariat se prépare afin de conquérir le monde. Mais les soixante quinze années ont contre elles la somme des siècles, la nature cosmique de notre planète et la nature biologique des êtres qui la peuplent, cette même nature que la plus haute et la plus profonde des révolutions, la venue au Christ et l'introduction du christianisme, n'a pu réprimer *ni changer* ». Qu'est-ce qui résisterait ainsi à ce qui change ? « Ces années ont contre elles les capacités diverses des races, les effets de la civilisation et toutes les lois spatiales qui *survivent aux changements* du théâtre de l'histoire. » La Totalité qui est cachée derrière celle de l'État serait donc la plus permanente, celle de la « race » : là serait le pivot autour de quoi finalement se retourne ce qui se dit ici rageusement « révolution ».

Et pertinente est en effet l'opposition que Moeller lui-même inscrit entre ses énoncés et ceux de Lénine. Car

Moeller :	« Pour la pensée conservatrice, toutes choses naissent au commencement. Et toutes choses ont un grand commencement. »
[Heidegger :	« Le commencement est le plus grand. » 1933, Discours de Rectorat.]

Moeller :	« Ce serait évident, si la pensée libérale n'avait réussi le tour de passe-passe politique qui consiste à transporter à la fin la genèse des choses, au moyen de l'idée de progrès. »
Lénine :	« La vérité n'est pas dans le commencement, mais dans la fin, ou plutôt dans la continuation. » (Cahiers de philosophie.)
[Thomas Mann :	« L'avenir est le plus grand » (Les histoires de Jacob).]

Et *celui-là* qui se plaît à stigmatiser le vieux-conservatisme, aux fins de fonder ce que ses épigones désigneront, en se désignant eux-mêmes, par les mots de jeune-conservateur, Moeller van den Bruck rejoint *celui-ci* qui s'est placé à l'autre pôle du Mouvement national : Ernst Jünger.

Moeller :	« Pour le conservateur, il n'est pas d'évolution. »
Jünger :	« Le concept de Gestalt... rejette l'évolution. »
(Moeller :	« La phrase sur laquelle Marx fondait sa pensée admettait l'idée d'évolution. »)

La force des « contrastes » est une force entrecroisée : c'est en Allemagne, soutient Moeller, « que l'idée révolutionnaire et l'idée conservatrice se rencontrent, se croisent, se touchent ». Mais la seule possibilité de ce croisement est structurellement conservatrice. Car, note-t-il, « tandis que la révolution n'aboutit qu'involontairement au conservatisme, le conservatisme accueille immédiatement la révolution » : du moins est-ce le cas de ce qu'il nomme le *contre-mouvement conservateur*. Par quoi « avec des moyens révolutionnaires on peut atteindre des fins conservatrices ». Bien plus, ce qu'il tente de déterminer comme « une pensée qui sera tout à la fois révolutionnaire et conservatrice », il le définit comme une *vengeance politique*.

L'ironie de l'idéologie veut que les termes-clés de Moeller se produisent deux ans plus tôt, dans une page de Thomas Mann annonçant une « Anthologie russe » et liée au nom de Merejkowski — avec qui Moeller avait édité Dostoievski en Œuvres complètes. Il y était question de la critique russe, chez Gogol et selon Merejkowski, comme passage de la création inconsciente à la conscience créatrice : autrement dit, de la critique « comme commencement de la religion ! » Mais cela, c'est Nietzsche, s'écrie Mann. Car Nietzsche a combattu le christianisme et l'idéal ascétique avec la plus extrême rigueur, et il n'a pas dédaigné celle de l'*Aufklärung* positiviste. Ce n'est pourtant pas au nom de cette dernière qu'il s'en est pris au christianisme, mais en vue d'une nouvelle religiosité, d'un nouveau sens de la terre et de la sanctifi-

cation du corps, au nom du « Troisième Royaume » ou du « Troisième Reich »
— im namen des « *Dritten Reiches* » — ce Troisième Reich dont a parlé
Ibsen dans son drame philosophico-religieux et dont, poursuit Mann, « l'idée
synthétique s'est élevée depuis quelques décades à l'horizon du monde ».
Sa synthèse : elle est celle « des lumières et de la foi, de la liberté et de
la contrainte, de l'esprit et de la chair, de « Dieu » et du « monde ». — Et
ici s'ouvre la séquence que Mann supprimera dans les rééditions ultérieures,
après le tournant politique que marquera pour lui l'assassinat de Rathenau :
Cette synthèse, « c'est, exprimée dans l'art, celle de la sensibilité et du criti-
cisme; exprimée politiquement, du conservatisme et de la révolution. Car le
conservatisme n'a besoin que de l'esprit pour être plus révolutionnaire qu'une
Aufklärung quelconque, positiviste et libérale, et Nietzsche lui-même dès
le commencement, dès les « Considérations inactuelles », n'était rien d'autre
que révolution conservatrice » — *nichts anderes als konservative Revolution* [32].

Un texte du second Thomas Mann [33] — celui d'après la mort de Rathenau, celui qui déjà, dans une lettre à son ami Bertram, a dénoncé en cette
occasion la cruauté *völkisch* — reprend le rapport de Nietzsche aux Lumières
et à la Révolution, à travers deux aphorismes empruntés à « Aurore » et à
« Humain, trop Humain ». Le premier s'intitule avec ironie « L'hostilité
des Allemands envers l'*Aufklärung* »; le second a pour titre « Réaction
comme progrès » — *Reaktion als Fortschritt*.
Nietzsche y désigne Schopenhauer comme un génie « triomphalement
rétrograde », venu apporter un correctif à la conception des Lumières
(envers laquelle d'autre part l'esprit allemand s'est montré si naïvement
méfiant). Correctif qui a rendu justice « au christianisme et à ses parents
asiatiques » — et après quoi nous pouvons porter à nouveau « la bannière
des Lumières, la bannière aux trois noms : Pétrarque, Erasme, Voltaire.
Nous avons fait de la réaction un progrès ».
Réaction comme progrès, progrès comme réaction, poursuit Mann :
cet entrecroisement — cette *Verschränktheit* — « est un phénomène historique toujours récurrent ».

32 *Rede und Antwort*, Fischer, 1922. L'essai de 1921, « Russische Anthologie »
est repris dans *Altes und Neues*, id. 1953, et dans les *Gesammelte Werke* publiés du
vivant de Mann, mais *sans* les deux dernières phrases citées. Celles-ci ne sont resti-
tuées dans le texte qu'avec la réédition posthume et définitive des *Gesammelte Werke*
en 1960.
33 « Die Stellung Freuds in der moderne Geistesgeschichte » (1929), *Altes und
Neues*, 1953 Frankfurt (Fischer V.).

LE RENVERSEMENT

Ainsi Luther et la Réforme sont à la fois la forme allemande de la Révolution, les précurseurs de la Révolution française — et le retour au Moyen Age, un coup presque mortel au fragile printemps intellectuel de la Renaissance. Le christianisme lui-même, avant d'être réformé par Luther, est une réformation : à la fois humanisation de l'homme ou son affinement, et retour à la religiosité originelle du repas d'alliance sanglant, et du sacrifice du dieu, « abomination rétrograde aux yeux de l'homme antique et civilisé ». Freud enfin — car le texte de Mann a pour objectifs de définir sa place dans l'histoire de la pensée moderne — est ce chercheur de la pulsion et des profondeurs, à ranger parmi ceux qui se tournent de façon révolutionnaire, contre le rationalisme classique, vers le côté nocturne de la nature et de la psyché. Or, précise Mann, le mot « révolutionnaire » ici « prend un sens paradoxal et, par rapport à l'usage logique, renversé » — verkehrt. Lorsque Freud parle de la nature essentiellement conservatrice de la pulsion, du Trieb, et définit la vie comme l'opposition active entre la pulsion de l'Eros et la pulsion de mort, cela sonne comme « une réécriture (Umschreibung) de l'aphorisme de Novalis : « La pulsion de nos éléments va vers la désoxydation. La vie est oxydation forcée. » Le pansexualisme freudien et la théorie de la libido ne sont, dans la vue de Mann, que le romantisme allemand dévêtu de sa mystique et devenu science de la nature.

Or le paradoxe de Freud est celui même du romantisme, qui en est le signe avant-coureur par ce que Mann appelle, chez Novalis, son extrémisme érotique. D'un côté, dans le romantisme allemand, la parenté intellectuelle avec la Révolution française, de l'autre ce que Mann décrit comme son Complexe de la Terre, de la Nature, du Passé et de la Mort, le Complexe du Volk, le « Josef-Görres-Komplex », ou le courant de l'école historique que l'on peut caractériser, « selon le sens des mots en vigueur, comme réactionnaire ». De façon comparable, la psychanalyse semble signifier le grand Retour — le grosse Zurück — dans le nocturne, l'originaire, le préconscient, le mythique et romantique ou historiciste « sein maternel » — et c'est là le mot de la Réaction, assure Mann. Mais d'autre part : la volonté d'avenir, et celle de rendre conscient, à travers la dissolution analytique — et « cela seul mérite le nom de révolution ».

L'entrecroisement freudien est donc l'inverse exact de celui que Mann décèle dans ce qu'il nomme la völkische Idee. Bien que celle-ci soit « la fiction qui est tentée », pour faire admettre que le moment intellectuel est en l'an 29 le même qu'au début du XIXe siècle; pour faire croire que la « haine de l'esprit » aujourd'hui retrouve le sens qu'avait le culte de la dynamique naturelle et de l'instinctif dans le Romantisme et chez Bachofen; et que dans la guerre menée contre l'intellectualisme et la croyance au progrès il faut voir un mouvement « à caractère authentiquement révolutionnaire » : maintenant comme alors, précise Mann avec mépris, les accessoires romantiques du nationalisme viennent faire de l'idée *völkische* la tendance du jour. Mais où seraient, demande-t-il, les décades de « fade humanité » qu'évoque cette *fiction* et dont elle serait le « dépassement révolutionnaire »? En fait guerre mondiale, explosion de l'irrationnel, impérialisme du Capital et « nationalisme international », voilà les terminaisons propres à une telle époque — à quoi « l'âme völkische » ne fait qu'ajouter « la haine, la guerre ».

La narration de Mann ne fait ici — en l'année 29 — qu'annoncer celle qu'un autre témoin marqué à l'extrême-gauche du champ idéologique, Wilhelm Reich, donnera quatre ans plus tard, l'année même de l'avènement hitlérien. Ce qui se donne alors comme « le principe dynamique, la nature délivrée de l'esprit dans la fraîcheur de la jeunesse révolutionnaire » n'est aux yeux de Mann que le « grand Retour époussété et fardé aux couleurs de l'orageux En-Avant » : ici, souligne-t-il, c'est la réaction comme révolution » — *die Reaktion als Revolution*. Et l'autre témoin, W. Reich, ajoutera : « des concepts réactionnaires s'ajoutant à une émotion révolutionnaire ont pour résultat la mentalité fasciste. »

Il existe sans doute, suivant l'hypothèse de Mann, un « caractère régressif du révolutionnaire » dans la psychanalyse elle-même — entendue non plus comme clinique, mais comme mouvement culturel, mettant l'accent sur ce qui dans la nature est le domaine nocturne ou le démonique. Mais il existe aussi un aspect *productif de connaissance :* connaissance du vivant et mise au clair de l'obscur, volonté de guérison, et de solution apportée à l'énigme — une volonté médicale qui relève proprement de l'Aufklärung. Le mouvement culturel qui accompagne l'action de la psychanalyse, c'est l'intervention de concepts *révolutionnaires* dans l'univers de l'affectivité *régressive :* cette fois c'est la régression transformée en progrès — la réaction qui se masque en révolution, pourrait-on conclure au nom du témoin Mann. Car, dira l'autre témoin, c'est « Freud et non pas Schicklgruber » qui a exploré l'esprit humain. La « Révolution biologique » à laquelle prétendait ce dernier est une révolution qui avorta, parce que, revendiquant la délivrance de la dynamique vitale, elle n'était que la « conséquence extrême et réactionnaire » de tous les types de commandement non démocratiques du passé, fondés sur la peur de la vie : le contraire exact de ce que W. Reich appelle curieusement « les RÉVOLUTIONS CULTURELLES » — « déterminées par la lutte de l'humanité pour le rétablissement des lois naturelles de la vie d'amour ».

TOPOLOGIE DE LA PESTE

Si l'on voit s'inverser ainsi l'entrecroisement, lorsque l'on dispose face à face les polarités du freudisme et celles de « l'irrationnel fasciste » (pour parler comme le témoin Reich), c'est que les rapports du langage à la pulsion d'une part, de l'autre à l'histoire, sont ici mis en jeu de part et d'autre, d'une façon évidente et radicale. Suivre la topographie et les repères de la « révolution conservatrice » ne se réduit pas à la simple description d'une rhétorique politique. Les enchaînements et déplacements formels, et leurs transformations, accrochent sur des référents fondamentaux. Dire avec W. Reich que l'irrationnel fasciste, comme révolution avortée, trouve ses concepts dans la réaction et emprunte ses émotions à la révolution, indique la dissymétrie du *topos* idéologique, dans le champ de la Révolution Conservatrice. Ce qui fait de l'invasion du langage hitlérien l'épidémie d'une « peste psychique » se lie à ceci, qui est caractéristique : que les termes de la topographie idéologique jouent sans cesse les rôles de pôles et de fonctions psychiques bien déterminées. Le déchiffrement de ces rôles et de ces fonctions dans ces pôles, la transcription de la topologie des langages en topique du sujet appartient à la critique de la fonction idéologique, au même titre que l'analyse du rapport à l'économie générale de la production et de l'échange.

Dès ces premiers traits il apparaît quelque chose dont on apercevra l'homologue sur le terrain de l'économique : l'irrationnel fasciste, ou la Révolution conservatrice qui en est le dessin, se construit comme l'inverse d'une thérapeutique, ou d'une clinique.

« Révolution conservatrice! » En l'année 36 Mann exilé à Zurich commente, dans la revue qu'il vient de fonder — *Mass und Wert*, « Mesure et Valeur » —, le fait désastreux d'avoir été l'inventeur initial de cette alliance de termes, dans sa relation redoutable avec la *Staatstotalität*.

« La narration double en effet le drame d'un commentaire, sans lequel il n'y aurait pas de mise en scène possible. » Celui que Jacques Lacan aurait appelé à la fois le « narrateur général » de l'histoire, et son « narrateur original » ou initial ; qui tout à la fois a raconté le premier récit et finalement le récit des récits variants, — c'est bien Mann, ici, et par lui nous est livré « l'éclairage à jour frisant... que la narration donne à chaque scène du point de vue qu'avait en le jouant l'un de ses acteurs ». La *lettre* même de la « Révolution conservatrice » est ce signifiant laissé à nos prises, à la fois symptôme et chiffre, et dont Mann a marqué la première imprégnation — la *Prägung* initiale — et tracé les derniers sens. On pourrait dire, comme de la « lettre détournée » de Poe, que son déplacement dans le champ va, en déplaçant leurs rapports, déterminer les sujets. Suivre dans le champ politique les déplacements de l'antithèse, et des narrations qui la portent, c'est voir se construire sous nos yeux une mise en scène qui n'est autre que l'histoire même.

Mann d'autre part, à la veille de la seconde guerre mondiale, revient plus en arrière encore, vers ces *Considérations d'un apolitique* publiées vers la fin de la première guerre, et qui appartiennent chez lui à la même phase idéologique que le texte sur « L'Anthologie russe ». Livre volumineux et laborieux ou même, admet-il, pénible. Sans doute faut-il reconnaître qu'en s'attaquant alors à ce qu'il nommait démocratie, il le faisait au nom de la culture et de la liberté — de la liberté morale, dont il ne voulait pas savoir les rapports avec la liberté civile. Erreur typique de la bourgeoisie allemande — de la *Bürgerlichkeit* —, celle de croire qu'il était possible pour un homme de culture d'être apolitique. Position caractéristique de cette « tête extraordinaire » qu'a été l'ennemi le plus vif de Hegel et le précurseur de Nietzsche : Schopenhauer, poussant « l'Anti-Révolutionnarisme » jusqu'au point d'être un « réactionnaire révolutionnaire » ou un « extrémisme conservateur ». *Anti-Revolutionarismus, revolutionäre Reaktionär, konservative Radikalismus :* ces négations renversées, ces redoublements et renversements de l'antithèse relèvent, dans l'optique mannienne, des attitudes propres à la « pure génialité » tout à la fois schopenhauerienne et philistine... Et qui a fait de l'esprit allemand « la victime de la *Staatstotalität* ».

L'homme de la culture apolitique est devenu celui qui rend possible le moment où « le politique s'élève lui-même à la Totalité », et débouche sur la « catastrophe culturelle du national-socialisme ». Schopenhauer est ce rentier allemand, rappelle Mann, qui prêta ses jumelles de théâtre à un officier en train d'observer de sa fenêtre les démocrates allemands, sur leurs barricades de 1848, afin que celui-ci puisse tirer sur les insurgés dans de meilleures conditions. Ce penseur, souligne-t-il, est « anti-révolutionnaire par mélancolie », par culte de la souffrance et en vertu de sa « critique de la vie ». Mais cet anti-révolutionnaire — et avec lui le bourgeois allemand,

83

« l'esprit allemand » — va, pour être « libre du politique », déboucher sur la
« terreur du politique ». Son anti-révolutionnarisme va conduire à « une
révolution de la décomposition, de la destruction absolue et planifiée de
tous les fondements éthiques, au service de la creuse idée politique de
la puissance ». L'affectation des gens distingués a refusé toute révolution
de libération : elle est devenue l'instrument d'un bouleversement en forme
d'*amok*, d'une « *Total-Revolution* », à quoi ne peut être comparée « aucune
irruption des Huns ».

RÉVOLUTIONS RÉTROGRADES

Que l'antithèse ne soit pas sans rapport avec la prétention à la pure
génialité ne trouvera pas sa seule référence dans Mann et son « Anthologie
russe », mais aussi dans le solennel discours de Hugo von Hofmannsthal
tenu dans le grand auditorium de l'Université de Munich en l'année 27 —
sur « l'Écriture comme espace spirituel d'une Nation ».

Texte caractéristique chez ce poète viennois, « demi-juif », lié au Cercle
de Stefan George, mais qui a pris ses distances à son égard. Caractéristique
de ce que Mann appelle l'apolitisme de l'esprit allemand. S'y référer tiendra
lieu de toute justification à un autre narrateur privilégié, Hermann Rauschning : le livre qu'il intitulera en langue anglaise *The Conservative Revolution*,
rapportera son titre à la phrase finale par laquelle Hofmannsthal en appelait
énigmatiquement à une *Konservative Revolution*. Livre d'exil, où est contée
en l'an 40 la trajectoire d'un homme qui a inauguré son intervention politique par la fréquentation du Club Jeune-Conservateur et du Club des
Messieurs, avant d'être incité par l'un d'entre ses amis, de ces mêmes lieux [34],
à donner son adhésion à la NSDAP. Jusqu'au moment où ce Président du
Sénat de Dantzig quittera son parti, désormais au pouvoir, en des termes
spectaculaires.

L'un des amis de Rauschning, dont celui-ci nous dit qu'il le connut dans
l'enceinte du Club des Messieurs, se nomme Edgar Julius Jung. Celui-là
sera, de l'an 33 jusqu'à un certain mois de juin 34, le secrétaire de von
Papen, et l'auteur effectif de ses discours politiques. Bien plus, il se vantera
d'avoir lui-même fait transmettre jusqu'à Papen la suggestion fondamentale :
de constituer un gouvernement avec Hitler et son parti. Cet Edgar Jung

---

34 Treviranus (cf. *Langages totalitaires*, Livre I, Partie II : « Le groupe hanséatique »).

publie un texte au cours de l'année 32, sous le titre *Deutschland und die konservative Revolution*.

Concluant un livre qui compte quatre vingts auteurs et se donne expressément pour tâche de combattre la légende française de la mauvaise Allemagne, il reprend dix ans plus tard la perspective de Moeller : nous sommes au milieu de la Révolution allemande. Celle-ci ne va pas adopter de formes manifestes, à la façon française de l'assaut contre la Bastille, mais être une opération de longue haleine comme l'a été la Réforme. Elle va réviser toutes les valeurs humaines, et toutes les « formes mécaniques », elle s'opposera à toutes les forces et pulsions, aux formules et aux buts qu'a fait mûrir la Révolution française. Qu'est-ce à dire ? « Ce sera la grande Contre-Révolution conservatrice qui va empêcher la dissolution de l'humanité occidentale en fondant un nouvel ordre, un nouvel éthos, une nouvelle unité de l'Occident sous la Führung allemande. » La référence pseudo-nietzschéenne aux nouvelles valeurs a permis le retournement de la prétendue Révolution allemande en sa formule développée : celle de la *grosse konservative Gegenrevolution*.

Il est donc clair et explicite — si l'on suit la lettre des énoncés propres aux narrateurs actifs, afin de voir s'incrire leurs sillages — que le syntagme de la Révolution conservatrice est équivalent à celui de la Contre-Révolution. Et voici une définition expresse : « Nous nommons Révolution conservatrice le nouveau prendre-garde, attentif à toutes lois et valeurs élémentaires sans lesquelles l'homme perd son rattachement à la nature et à Dieu, et ne peut construire un ordre vrai. » Une série d'oppositions traduit cette première déclaration : « A la place de l'égalité, la valeur (la valence : Wertigkeit) intérieure ; à la place du sentiment social, la construction juste d'une société hiérarchique ; à la place du vote mécanique, la croissance organique du *Führer ;* à la place de la contrainte bureaucratique, la responsabilité intérieure de l'auto-administration authentique ; à la place du bonheur des masses le droit à la personnalité du *Volk.* »

Aux stéréotypes habituels dans l'ensemble du Mouvement national se joignent ici des traits de langage plus propres à certains secteurs du « Ring » (le particularisme de « l'auto-administration », à quoi Forsthoff précisément opposera l'État total). Ou du Mouvement de jeunesse (la « responsabilité intérieure »). Pourquoi avons-nous combattu ? demande Edgar Jung. La réponse sera cette narration dont le terme final est à venir et a pour nom, une fois de plus, le Troisième Reich.

Car « le Troisième Reich ne sera pas possible comme une continuation du grand procès de sécularisation, mais comme sa terminaison ». Il n'y a nulle surprise à apprendre qu'il sera germanique, ou ne sera pas. Mais en même temps — souligne Edgar Jung avec une insistance curieusement « linguistique » — « le langage de la Révolution allemande sera un langage mondial ». Comment cela ? Mais précisément « à cause de cette position de principe nationaliste », dont il venait d'être question. Car Edgar Jung, usant soudain d'une alliance de mots plus familière aux partisans nationaux-révolutionnaires de Jünger qu'aux adhérents du Club Jeune-conservateur, précisait que « *le nouveau nationalisme* est un concept culturel et religieux, parce qu'il pousse à la Totalité » — *zur Totalität drängt* — et qu'il « ne tolère pas d'être limité au pur politique ». Le langage de la Révolution allemande sera mondial, parce que son nationalisme ne se bornera pas aux frontières des États nationaux, mais poussera jusqu'à la « Totalité » d'un Troisième Empire germanique...

La langue allemande, poursuit cependant Edgar Jung, ne se laisse guère traiter en langue universelle, bien que le langage d'un Hegel, d'un Marx, d'un Nietzsche soit vivant dans le monde entier, et que, assure-t-il, l'on soit aujourd'hui « aux écoutes des voix de la Révolution conservatrice allemande ». Mais, par là, ajoute Edgar Jung, on a davantage en vue la protestation de masse que le national-socialisme met en scène (darstellt). Lui aussi fait profession de foi dans le Troisième Reich, bien que la question reste ouverte de savoir si c'est au sens profond et englobant (umfassende) où l'entendent les hommes qui ont ravivé l'idée du Saint Empire. Deux versions s'opposent, pour Edgar Jung, au sujet du national-socialisme, mais toutes deux appartiennent au même champ de sens : on peut être de l'opinion selon laquelle il s'agit de pénétrer le national-socialisme de « cette renaissance spirituelle « que la dernière décade a donnée à l'Allemagne, — on peut aussi admettre qu'au national-socialisme a été accordée une tâche historique limitée : la démolition d'un monde pourri, la préparation de la grande brèche qui doit déboucher sur l'État nouveau. Mais dans les deux cas ceci est confirmé : « la nostalgie des masses, qui aujourd'hui se dévouent au national-socialisme jaillit du grand héritage conservateur (konservativen Erbbilde) qui repose en elles et les contraint à agir. » Certes, « que la manifestation de cette nostalgie, qui aujourd'hui se nomme national-socialisme, porte avant tout les traits de la Révolution conservatrice ou de la liquidation du libéralisme », cela demeure encore une question sans réponse pour Edgar Jung. De toutes les façons, conclut-il, notre heure est venue : l'heure de la Révolution allemande.

Ce qui du moins est déjà manifeste dans le langage de cette singulière révolution, donnée pour expressément conservatrice ou contre-révolutionnaire, c'est que ses traits se déplacent de pôle en pôle :

	— jeune-conservateur : le « Saint Empire »
et	— national-révolutionnaire : le « nouveau nationalisme »,
ou du	— Mouvement de Jeunesse [35] : la « responsabilité intérieure »
au	— mouvement raciste : le « caractère *völkisch* » [36].

Déplacements qui déplacent avec eux la question permanente : est-ce que les *traits* de cette Révolution conservatrice vont être portés avant tout, et de façon dominante — vorwiegend —, par « ce qui se nomme aujourd'hui national-socialisme » ?

De toute façon, concluait Edgar Jung le jeune-conservateur en l'an 32, notre heure est venue. Que l'histoire l'ait pris au mot ou à la lettre, cela relève de son ironie toute particulière : les deux hommes par qui viendra son heure, en effet, sont ces deux-là dont l'un vantera chez l'autre les mérites, en mai 33, d'un « discours conservateur-révolutionnaire ».

Après la prise du pouvoir par le gouvernement dit « du soulèvement national », le 30 janvier, un certain Erich Gritzbach va en effet occuper un poste de choix dans le proche entourage du nouveau Ministre de l'Intérieur de Prusse, Hermann Göring. Le 19 mai celui-ci, promu Président du Conseil de Prusse, prononcera à Berlin son premier discours devant le Landtag prussien. Ce discours, notera son hagiographe Gritzbach, — *diese Rede ist konservativ-revolutionär...*

L'antithèse se développe entièrement dans ce dernier « langage de la Révolution allemande », celui d'une biographie de Göring parue en l'année 37 : « *Conservateur*, au sens de la doctrine de l'État chez Hitler — conserver (erhalten) ce qui est bon et qui a été éprouvé, mais, bien plus, reprendre les tâches inaccomplies et nécessaires à l'État, et les conduire à leur réalisation finale. *Révolutionnaire*, dans l'affirmation de tous les droits du camarade de race [37] (Volksgenossen) national-socialiste, et dans la négation de

35 Jugendbewegung, ou « Bündische Jugend » (Jeunesse Liguée).
36 La référence au *völkische Charackter* chez Edgar Jung relèverait peut-être de cette *Charakteranalysis* à la W. Reich, dont Jacques Lacan juge quelle fut en analyse « une étape essentielle de la nouvelle technique ». Sur W. Reich, voir surtout Gilles Deleuze et Félix Guattari, *Capitalisme et schizophrénie : L'Anti-Œdipe*, Éd. de Minuit 1972, p. 37, 412-413.
37 C'est la traduction que nous proposait Herbert Marcuse en 1961 : Volk, dans ce syntagme typiquement nazi, n'étant pas pris au sens de la souveraineté du peuple, mais au sens *völkisch*, ou de l'*Urvolk* : « Kein Jude kann Volksgenosse sein » (Programme de la NSDAP).

toute revendication contraire au national-socialisme [38]. » Le langage de ce « révolutionnaire » est comparé ici avec les mots d'un autre. « Les mots éclatent, comme Bismarck en a prononcé dans la même Chambre, et dans le même combat contre la négation. » Erich Gritzbach n'est autre que le secrétaire d'État qui, en liaison avec l'Obergruppenführer SS Theodor Eicke, préparait en juin de l'an 34 la liste de proscription pour la nuit des longs couteaux, cette nuit dont Hermann Göring et Heinrich Himmler ont assuré la mise en scène. Le langage de la « Révolution allemande », en passant par l'usage de ces mots-là, assurera en effet à Edgar Jung que son heure — l'heure conservatrice-révolutionnaire — est bien venue. Car c'est Gritzbach sans doute qui écrira sa mort sur la liste, et Göring, père de la Police Secrète d'État, qui en fera assurer l'exécution.

Rarement la locution de « pouvoir exécutif » n'a eu si précise et si dangereuse connotation. Mais le Discours à l'Augusteo s'était d'emblée, et avant même d'affirmer sa totalitaire férocité, prononcé à cet égard de façon décisive. Il s'agissait très simplement d'affirmer l'omnipotence de l'exécutif, justement : « Le fait de mettre au premier plan le pouvoir exécutif tient vraiment aux lignes maîtresses de notre doctrine; parce que le pouvoir exécutif... c'est le pouvoir qui exerce le pouvoir. » Ici s'*inverse* très expressément les concepts construits par la pensée politique occidentale, de Locke jusqu'à Rousseau : « Le pouvoir exécutif est le pouvoir souverain de la Nation. » Deux jours avant le Discours, et sur le rapport de Rocco, on l'a vu, la Chambre italienne adoptait la « Loi pour la concession au pouvoir exécutif de la faculté d'imposer des normes juridiques [39] ». Par cette Loi, l'exécutif est devenu pratiquement le législateur, c'est-à-dire le souverain en effet.

La toute première apparition du langage totalitaire dans le discours politique italien articule donc avec clarté les concepts fondamentaux grâce auxquels le pouvoir exécutif disposera, neuf ans plus tard en Allemagne, du pouvoir souverain de faire exécuter sans jugement le doctrinaire de la grande Contre-Révolution conservatrice : Edgar Jung, jeune-conserva-

---

38 Erich Gritzbach, *Hermann Göring*, Eher Verlag 1938.
39 Dans son discours du 14 déc. 1925 au Sénat, à propos de la même loi, Rocco usera de l'adjectif « totalitaire » pour désigner l'opposition : « ce n'est pas le moment d'une opposition totalitaire et systématique » — *il momento di un' opposizione totalitaria e sistematica*. C'est indiquer qu'à cette date le mot n'est pas encore connoté de « totalitarisme », et que l'année 25 est bien à la source de son premier usage politique.

leur et nouveau nationaliste, apologète du « caractère *völkisch* » et de la Totalité. Qu'est-ce donc, ramenée à ses termes clairs, que cette Révolution conservatrice dont l'heure était venue en effet ; qu'Edgar Jung lui-même avait annoncée et exigée peu de jours plus tôt à Marburg par la bouche de Papen, et que Rosenberg, le « dirigeant de la Vision-du-monde », venait de prôner à Königsberg ? Elle est ce que Mann décrira dans son « Docteur Faustus » : elle est celle du « révolutionnaire-rétrograde » — *revolutionär-rückschlägig*. Concept paradoxal lorsque Mann le dessine dans le contexte des joyeux convives de la « Table Ronde », à Munich, autour de l'aventure musicale et nietzschéenne d'Adrian Leverkühn. Mais concept fort clair lorsque Marx, critique de la philosophie de l'État de Hegel, en effectue l'analyse.

Car, affirme Marx, dans ce brouillon prodigieux dont seule l'Introduction sera publiée par les *Annales Franco-allemandes* de la rue Vaneau, toute Révolution effective est législative — et c'est cette proposition fondamentale qui l'oppose à la Totalité de l'État hegelien. « Le pouvoir législatif a fait la Révolution française, il a d'une façon générale, partout fait les grandes Révolutions universelles. » (La Révolution du IIe Congrès des Soviets, en octobre 17, ne fait pas exception à cette loi de l'Histoire.) Et cela, « parce que le pouvoir législatif était le représentant du peuple, de la volonté générale » (Gattenswillen). A l'inverse, le pouvoir exécutif, « le pouvoir gouvernemental a fait les petites révolutions, les révolutions rétrogrades, les réactions » — *die kleinen Revolutionen, die retrograden Revolutionen, die Reaktionen* (§ 298). Pire encore : le pouvoir exécutif, écrit Marx avec mépris, a révolutionné (revolutioniert) « non pour une nouvelle constitution contre une ancienne, mais contre la constitution, et cela précisément parce que le pouvoir gouvernemental était le représentant de la volonté particulière, de l'arbitraire subjectif, de la partie magique de la volonté ».

Que le « langage de la Révolution allemande » ait conduit la partie magique de la volonté à s'emparer de la Totalité de l'État et, à travers celle-ci de ce que Mann nommait la totalité du problème humain, et voici que s'accomplit sous nos yeux la plus dangereuse des expérimentations sur le rapport entre le langage et l'action, entre le changement de formes et la transformation matérielle.

Dans un tel langage, on peut lire, entendre et voir s'enchaîner des signifiants fondamentaux : *konservative Revolution, Drittes Reich, Totalität*. Voir se constituer les déplacements et le dessin de ces traits communs à toute la langue du « Mouvement national », en tous ses pôles périphériques et jusqu'en son centre, c'est en même temps voir comment, chaque fois et en chaque segment, le récit idéologique des acteurs ou des messagers se rend actif — au point de rendre possible une Contre-Révolution qui soit aussi *Total-Revolution*, et à quoi ne sera comparable « aucune irruption des Huns ».

DOCUMENTS DE LANGAGE

Die völkische Auffassung des
Nationalsozialismus

„Völkisch" bedeutet eine andere
Auffassung vom Wesen der Ganzheit
Volk als sie der Liberalismus hatte.
(...) Die völkische Auffassung betont
im Gegensatz zur liberalen bewusst die
sogenannten Naturgemeinsamkeiten
des Volkes. Sie sieht im Volke
eine biologische Lebenseinheit und
zieht aus dieser Auffassung im
Gegensatz zum Liberalismus
politische Folgerungen. Der
Rassebegriff (vgl. unten § 17), aber
auch die Bedeutung des Raums und
der Heimat, treten betont in den
Vordergrund und wirken sich auch
staatsrechtlich aus (...)

Von dieser Auffassung des Volkes
werden dann auch alle Lebensgebiete
des Volks- und Staatslebens
beherrscht. Die Totalität des
völkischen Gedankens durchdringt sie
sämtlich.
Aus dieser völkische Totalität
ergibt sich weiter, dass nach der
nationalsozialistische Auffassung
die Kontinuität des politischen
Geschehens durch das Volk als
politische Grösse, nicht durch den
Staat geht (...) Insofern bildet die
Hegelsche Auffassung vom Staat als
„Wirklichkeit der sittlichen Idee"
eine a-völkische Position, die dem
Nationalsozialismus fremd ist. (...)
Die These, dass das Volk eine
„unpolitische Seite" sei, führt, wie
schon gezeigt, zur Auffassung des

La conception völkische du
National-socialisme

« Völkisch » signifie une conception de
l'essence de la Totalité Volk tout
autre que celle du libéralisme. (...) La
conception völkische accentue
consciemment, en opposition à la
conception libérale, ce qu'on appelle
les communautés naturelles du peuple.
Elle voit dans le peuple une unité de
vie biologique et tire les conséquences
politiques de cette conception en
opposition au libéralisme. Le
concept de race (voir ci-dessous § 17),
mais aussi la signification de l'espace
et du pays natal, entrent en scène au
premier plan de façon soulignée, et
ils agissent également sur le plan du
Droit de l'État. (...)
Une telle conception du peuple
domine aussi tous les domaines vitaux
dans la vie du peuple et de l'État. La
Totalité de la pensée völkische la
pénètre entièrement.

De cette Totalité völkische découle,
bien davantage, le fait que pour la
conception national-socialiste la
continuité de l'événement politique
passe par le peuple, comme grandeur
politique, et non par l'État. Dans cette
mesure la conception hegelienne de
l'État comme « réalité de l'Idée
morale » constitue une position
a-völkische, qui est étrangère au
national-socialisme.
La thèse selon laquelle le peuple est
le « côté apolitique », conduit, on l'a
vu, à la conception de l'État libéral de

liberalen Machtstaates, [wie sie im faschistischen Statsgedanken Ausdruck gefunden hat. Während für das nationalsozialistische Denken Staat und Recht um völkische Lebensfunktionen sein können, betont der Faschismus scharf den Eigenwert des Staates, durch den die Nation erst geschaffen wird]. Diese sich im Hegelschen Gedankengängen bewegende Auffassung führt dann notwendig weiter zu den Auffassung des „totalen Staates" d.h. des Staates als totalen Machtapparat. Auch diese Auffassung ist dem völkischen, nationalsozialistischen Denken (2) fremd.

2. Im Rahmen dieses Grundrisse ist eine eingehende Erörterung dieser Frage nicht möglich. Es muss geachtet werden, dass es sich dabei nicht im blosse theoretische Streitigkeiten handelt, sondern dass es um die politischen Grundanschauungen geht.
Für die Auffassung *Carl Schmitt* vergl. vor allem seine Schrift „Staat, Bewegung, Volk" 1933, und die Schrift seines Schülers *Forsthoff* „Der totale Staat" 1933.
Otto Koellreutter, *Deutsches Verfassungsrecht*, Junker u. Dünnhaupt Verlag, Berlin 1933, p. 10, 65.

puissance, [qui a trouvé son expression dans le principe fasciste de l'État. Tandis que pour la pensée national-socialiste l'État et le Droit peuvent exister en vue de leurs fonctions de vie völkische, le fascisme souligne de façon tranchante la valeur propre de l'État, par qui la nation est créée en premier lieu]. Cette conception, développée dans les démarches de la pensée hegelienne, conduit alors nécessairement à celle de l' « État total », c'est-à-dire de l'État comme appareil total de puissance. Cette conception est également étrangère à la pensée völkische et national-socialiste (2).

2. Dans le cadre de cette esquisse, une discussion poussée de cette question n'est pas possible. Il faut observer qu'il ne s'agit pas de simples controverses théoriques, mais qu'il y va de visions politiques fondamentales.
Pour la conception de *Carl Schmitt*, voir avant tout son écrit « État, Mouvement, Peuple » 1933, et l'écrit de son élève *Forsthoff*, « L'État total », 1933.

Droit constitutionnel allemand.

(Le passage entre crochets a été *supprimé* dans la 3e édition, de 1938, p. 68.)

LE REFUS DE « L'ÉTAT TOTALITAIRE » DANS L'IDÉOLOGIE NAZIE

Unscharf ist die *Bezeichnung* unseres Reiches als „*autoritärer Staat*" oder „*totalitärer Staat*" *. Autoritär oder totalitär sind weist „liberale Machtstaaten" (Höhn) zwecks Aufrechterhaltung einer Herrschafts-

Inexacte est la *désignation* de notre Reich comme « État autoritaire » ou « État totalitaire ». Autoritaires ou totalitaires sont, bien plutôt, les « États libéraux de puissance » (Höhn), ayant pour but la conservation d'une

* Souligné dans le texte.

position gegen neues Leben (Beispiele : Osterreich vor der Wiedervereinigung oder Rumänien unter dem Carol-Regime). Bei ihnen ist im Gegensatz zum nationalsozialistischen Deutschen Reich das Volk nicht Inhalt des Staates, sondern Objekt der Herrschaft. Ein autoritärer Staat ist auch das faschistische Italien. Die autoritäre Staatsform entspricht romanischer Staatsauffassung nach welcher der Staat von oben her aufzubauen ist, um alle Kräfte der Gesamtheit für Ziele, welche die Zentralgewalt setzt, gleichförmig in Bewegung setzen zu können. Der Faschismus hat es verstanden, dieser Staatsform einen eigenen Charakter zu geben.

position de domination face à une nouvelle vie (exemples : l'Autriche avant la réunification ou la Roumanie sous le régime de Carol). Pour eux, contrairement au Reich national-socialiste allemand, le peuple n'est pas le contenu de l'État, mais l'objet de la domination. L'État fasciste italien est aussi un État autoritaire. La forme autoritaire de l'État correspond à la conception latine de l'État, selon laquelle l'État est à construire d'en haut, afin de pouvoir mettre en mouvement de façon uniforme toutes les forces de la Totalité en vue des buts qu'assigne le pouvoir central. Le fascisme a su donner un caractère authentique et un visage positif à cette forme de l'État.

Der Staatsaufbau des Deutschen Reiches in systematischer Darstellung

La structure d'État du Reich allemand mise en forme systématique

(Neues Staatsrecht III) von Dr. Wilhelm Stuckart, Staatssekretär im Reichsministerium des Innern,
Dr. Harry von Rosen von Hoewel,
Dr. Rolf Schriedmair.
Leipzig 1943, Verlag W. Kohlhammer, p. 20.
(Wilhelm Stuckart est l'auteur des Lois de Nuremberg et des Ordonnances d'application qui s'ensuivirent.)

ÉTAT TOTALITAIRE ET DOCTRINE DU FASCISME

Lo Stato, se è infatti autoritario, è altresì *totalitario* *, cioè dotato di un « autorità » che si esplica non nella limitata sfera formatrice e tutrice del diritto, ma nella *totalitarietà* * dei rapporti che si svolgono nel proprio ambito (...) Si crea pertanto anche in Vico quella reciprocità unitaria tra Stato e popolo che Mussolini ha interpretato conferando allo Stato lo

L'État, s'il est effectivement autoritaire, est également totalitaire, c'est-à-dire doté d'une autorité qui déploie, non pas dans les limites de la sphère du droit et sous sa tutelle formatrice, mais dans la *totalitarité* des rapports développés dans sa propre sphère (...) Cependant, chez Vico, se crée également cette réciprocité unitaire entre l'État et le

spirito del popolo e al popolo lo corpo del Stato.

peuple que Mussolini a interprétée en conférant à l'État l'esprit du peuple et au peuple le corps de l'État.

Nino Tripodi, *Il pensiero politico di Vico e la dottrina del Fascismo*, Cedam, Padova 1941, (Collane di Dottrina fascista. A cura della Scuola di mistica fascista Sandro Italico Mussolini), p. 96.

* C'est nous qui soulignons.

LA JUSTICE DANS L'ÉTAT TOTALITAIRE

Con la fondazione dello « Stato Totalitario » la situazione è dal tutto mutata. A tale tipo di Stato è essenziale la nozione di « comunità nazionale » e la coincidenza tra il concetto di Popolo e il concetto di Stato. La struttura del « Governo », inteso quale complesso dellà publiche potestà, assume carattere gerarchico. Il sistema parlamentare è abolito, la legge non risposa più sul titolo della volontà generale, la plurità dei poteri no ha più ragione di essere.

Ora per la dottrina dello *Stato Totalitario* non solo non è ammissibile che il giudice sia estraneo all'azione del potere pubblico, ma nemmeno si può consentire che esso resti indifferente al risultato del fine. Il giudice deve concorrere all' effectto teleologico di tutta la potenza publica. Ciò significa che il carattere della funzione giuridizionale deve adeguarsi nel tipo dello *Stato Totalitario* al carattere unitario dinamico e imperativo che assume in esso il potere pubblico.

Commune alla concezione fascista e aquella nazionalsocialista è il canone, che il giudice debba essere circoscritto all'interpretazione della legge per l'applicazione che di essa occorre fare

Avec la fondation de l' « État Totalitaire » la situation est tout à fait modifiée. Essentielle à ce type d'État est la notion de « communauté nationale » et la coïncidence entre le concept de peuple et le concept d'État. La structure du « gouvernement », entendu comme ce complexe de puissance publique, assume un caractère hiérarchique. Le système parlementaire est aboli, la loi ne repose plus sur le titre de la volonté générale, la pluralité des pouvoirs n'a plus sa raison d'être.

(...) Aujourd'hui par l'effet de la doctrine de l'État Totalitaire, non seulement il n'est plus admissible que le juge soit étranger à l'action du pouvoir public, mais on peut encore moins consentir à le voir indifférent au résultat final. Le juge doit concourir à l'effet téléologique de toute la puissance publique. Cela signifie que le caractère de la fonction juridictionnelle doit s'adapter, dans le type de l'État Totalitaire, au caractère unitaire, dynamique et impératif que le pouvoir public assume en lui.

Commune à la conception fasciste et à la conception national-socialiste est cette règle canonique : le juge doit être circonscrit, dans l'interprétation de la loi, par

nei casi concreti. Avverte al riguardo la relazione tedesca che in ogni modo il giudice nello *Stato Totalitario* deve intendersi legato alla concezione politica del regime, perchè in caso diverso egli non risulterebbe nemmemo legato dal diritto.

(...) La relazione italiana ... ha soggiunto che lo spirito dell' ordinamento italiano è piuttosto nel senso di rafforzare i controlli giuridizionali sull'attività dell' amministrazione publica. Il principio di legalità può e deve raggiungere la più vasta attuazione nel quadro dello *Stato Totalitario*.

Carlo Costamagna, « Il giudice e la legge », in : *Lo Stato*, Direttore : Carlo Costamagna, aprile 1939, pp. 194, 196, 197. 199.

l'application qu'il faut en faire dans les cas concrets.Notons, au regard de la version allemande, que le juge dans l'État Totalitaire doit s'entendre, de toute façon, comme lié à la conception politique du régime, parce que celui-ci dans certains cas ne serait même pas lié par le Droit.
(...) La version italienne... a ajouté que l'esprit de l'organisation italienne va plutôt dans le sens des contrôles juridictionnels sur l'activité de l'administration publique.
Le principe de la légalité peut et doit obtenir sa réalisation la plus large dans le cadre de l'État Totalitaire.

RAZZA E DIRITTO

A ché sente la dignità di essere italiano deve pertanto apparire indispensabile reprimere con energia gli estremismi razziali. Essi sono risultati di un improvisazione pseudo-scientifica, o di un cattivo spirito di imitazione, tara più recente del carattere italiano. Se i tedeschi reputano per essi conveniente affissarsi come a modello etico ed estetico sul tipo dell'« uomo nordico », noi italiani non possiamo rinunciare al titolo che ci proviene dalla descendenza di Roma.

È merito del Fascismo quello di avere per il primo rievocato e riassunto, nel collasso della civiltà europea, la posizione etico-organica delle scienze morali, e di avere

RACE ET DROIT

Pour qui ressent la dignité d'être italien doit en conséquence apparaître indispensable de réprimer avec énergie les extrémismes raciaux. Ceux-ci sont le résultat d'une improvisation pseudo-scientifique, ou d'un certain esprit d'imitation qui est la tare la plus récente du caractère italien. Si les Allemands considèrent qu'il leur convient de se fixer pour modèle éthique et esthétique le type de l'« homme nordique », nous Italiens, nous ne pouvons renoncer au titre qui nous provient de la descendance de Rome.
C'est le mérite du Fascisme que d'avoir, le premier, évoqué et assumé de nouveau, dans l'effondrement de la civilisation européenne, la position éthico-organique des sciences morales,

definito per il primo il concetto *totalitario* dello Stato Popolo.

Id., marzo 1939, p. 135.

et d'avoir défini pour la première fois le concept totalitaire de l'État peuple.

Ogni popolo, quale unità di vita collettiva, deve risolvera anche il problema della sua individualità secondo i propri caratteri spirituali e razziali.

Su questa base il fascismo e il nazionalsocialismo rivendicano entrambi il diritto di diffendere e di perfezionare la civiltà europea.

L'ordinamento giuridico dello *Stato Totalitario* pone come fini la integrità morale e materiale del proprio popolo nella successione della sue generazioni.

(...) I valori nazionale devono essere difesi anche di fronte all' ebraismo, con l'assoluta e definitiva separazione degli elementi ebraici dalla comunità nazionale, per impedire che l'ebraismo possa esercitare una qualsiasi influenza sulla vita dei popoli.

I popoli italiano e tedesco oppongono alle ideologie universaliste e cosmopolite dall' ebraismo internazionale i principi categorici che risultano dalle leggi di Norimbergo dal 15 Sett. 1935 e dalle risoluzioni del Gran Consiglio del Fascismo del 6 Ottobre 1938-XVI.

Id. « Razza e diritto », al Convegno italotedesco di Vienna.

Tout peuple, en tant qu'unité de vie collective, doit également résoudre le problème de son individualité selon ses propres caractères spirituels et raciaux.

Sur cette base le fascisme et le national-socialisme revendiquent tous deux le droit de défendre et de perfectionner la civilisation européenne.

L'ordre juridique de l'État Totalitaire pose comme fins l'intégrité morale et matérielle du peuple lui-même dans la succession de ses générations.

(...) Les valeurs nationales doivent être défendues aussi face à l'hébraïsme, par la séparation absolue et définitive des éléments hébreux par rapport à la communauté nationale, pour empêcher que l'hébraïsme puisse exercer une influence quelconque sur la vie des peuples.

Les peuples italiens et allemands opposent aux idéologies universalistes et cosmopolites de l'hébraïsme international les principes catégoriques qui résultent des lois de Nuremberg du 15 sept. 1935 et des résolutions du Grand Conseil du Fascisme du 6 octobre 1938. An XVI (du Fascisme).

« Race et Droit », au Congrès italo-allemand de Vienne.

L'ÉTAT PAR EXCELLENCE

Liberalismo e Stato Totalitario

... D'altronde non è nemmeno esatto che lo *Stato totalitario* sia una

Libéralisme et État totalitaire

D'ailleurs il n'est pas même exact que l'État totalitaire soit une réaction

reazione allo Stato liberale. *Lo Stato totalitario* è lo Stato per eccellenza, il vero Stato, oggi come sempre. Sarebbe assurdo pensare che si tratti di cosa transittoria.

Carlo Costamagna, id., p. 188.

à l'État libéral. L'État totalitaire est l'État par excellence, l'État vrai, aujourd'hui comme toujours. Il serait absurde de penser qu'il s'agit d'une chose transitoire.

L'ÉTAT TOTAL VÖLKISCH

Für das bürgerliche Zeitalter, das die begriffliche und wirkliche Trennung des Volkes vom Staat gebracht, das Volk somit zum Willenlosen, handlungsunfähigen Wesen herabgedrückt hat, ist ferner bezeichnend, dass es den Staat zum Sozialorgan unter anderer Sozialorganen, zum Teilganzen unter andern gemacht hat. *Der totale Staat,* der wahre „Volksstaat " [1] ist indessen *die völkische Ganzheit* selbst und unmittelbar, sofern sie aus dem blossen Sein zum Wollen, zum geschichtbildenden Handeln, zu Macht und zur Politik kommt. (...) *Der Vollstaat* [2] verlangt eine *geschlossene* geformte *Schicht*, die ihn trägt, auf der zuletzt seine politische Willens- und Machtbildung beruht. Eine solche Schicht kann nur entstehen auf geschichtlichem und revolutionärem Weg : die *Gruppe* die sich durchsetzt und mit sich den Vollstaat heraufführt setzt sich selbst in den Vorrang, übernimmt mit erhöhter Pflicht auch die erhöhte Verantwortung, empfängt

Quant au siècle bourgeois, qui a introduit la séparation du peuple et de l'État dans le concept et dans la réalité, qui a réduit le peuple à une essence sans vouloir et incapable d'action, il est significatif également qu'il a fait de l'État un organe social parmi d'autres, une partie du Tout parmi d'autres. L'État total, le véritable « État populaire » est la Totalité völkische elle-même et immédiate, du fait même qu'à partir de l'être simple, elle en vient au vouloir, à l'action créatrice d'histoire, à la puissance et à la politique.

(...) L'*État total* exige une *couche sociale fermée* qui le porte, sur quoi en dernier lieu repose la formation de sa volonté et de sa puissance. Une telle couche ne peut naître que par une voie révolutionnaire : *le groupe* qui s'impose et qui entraîne avec soi l'ascension vers l'État total, se place lui-même au premier rang, et avec le devoir le plus élevé assume également la responsabilité la plus haute, et pour cela bénéficie du privilège

---

1 « Volksstaat » — c'est le terme par lequel est défini l'État dans la Constitution de Weimar : dans les tout premiers énoncés de Hugo Preuss.
2 Transposition « völkische » du « totale Staat », où « Voll » transcrit le mot latin « total » dans un lexique germanique « pur ».

dafür politisches Vorrecht und
erhöhten Rechtschutz (p. 16).

Ernst Krieck, *Völkischer Gesamtstaat
und nationale Erziehung*, Heidelberg,
3. Auflage 1933, p. 15-16.

politique et d'une plus grande
protection du Droit.

E.K. « État total völkisch et éducation
nationale ».

DICTATURE TOTALE

Dans ce contexte, il apparaît que le Socialisme est la précondition de l'organisation autoritaire la plus dure, et que le Nationalisme est la présupposition des tâches de rang impérial. *Le Socialisme et le Nationalisme* comme principes généraux sont, ainsi qu'on l'a dit, à la fois ce qui répète et ce qui prépare. (...) Les individus et les communautés... sont tous deux des symboles de la Forme de l'Ouvrier, et leur unité intérieure se montre dans le fait que *la volonté de Dictature totale* se reconnaît dans l'Ordre nouveau comme volonté de *Mobilisation totale*. (...) La perfection de la technique est un des symboles, et un seul, de ceux qui confirment la clôture. Elle se détache, par l'empreinte dont elle marque *une Race* dont la hauteur est non-équivoque.

Ernst Jünger, *Der Arbeiter*, Hamburg 1932, Hanseatische Verlagsanstalt, § 68-69, 12, 51. (*Werke*, Stuttgart, Ernst Klett Verlag, p. 263, 50, 190.)

LE CONCEPT

Appunto per questo e per affermare l'analogia che intercede tra lo Stato Fascista e lo Stato Nazional-socialista e quello che emerge dalle prove sanguinose della Falange spagnola vale la denominazione di « Stato totalitario » (...) Apprezzabile è il concetto per cui lo Stato Fascista sarebbe un « tipo storico » dello Stato totalitario, come altri tipi storici sarebero lo « Stato Nazional-sindacalista » nella Spagna e lo « Stato nazional-socialista » in Germania.

Carlo Costamagna, *Dottrina del Fascismo*, Torino, 1940, p. 161.

Précisément pour cela et pour affirmer l'analogie qui intervient entre l'État fasciste et l'État National-socialiste d'une part, et celui qui émerge des épreuves sanglantes de la Phalange espagnole, de l'autre, la dénomination d' « *État totalitaire* » est valable (...) Appréciable est le concept selon lequel l'État Fasciste serait un « type historique » de l'État totalitaire, de même que l' « État National-syndicaliste » en Espagne et l' « État national-socialiste » en Allemagne en seraient d'autres types historiques.

«PHILOSOPHE DU NATIONAL-SOCIALISME», «PHILOSOPHES COMPÉTENTS»

(26 février 1934) Lettre de W. Gross (Union Nationale-Socialiste Allemande des Médecins) à von Trotha, demandant d'attirer l'attention de Rosenberg sur les conséquences dangereuses de la qualification courante de Heidegger comme « philosophe du national-socialisme », qualification qui lui vaut d'être prévu pour la fonction de directeur de l'Académie Prussienne des Professeurs *(Preussische Dozenten Akademie)*, alors que des philosophes compétents, en particulier Jaentsch et Krieck, dénient à Heidegger l'esprit national-socialiste.

J. Billig, *Alfred Rosenberg dans l'action idéologique, politique et administrative du Reich hitlérien.*

Inventaire commenté de la collection de Documents conservés au C.D.J.C. provenant des Archives du Reichsleiter et ministre A. Rosenberg.

(Les inventaires des Archives du Centre de Documentation Juive Contemporaine) Ed. du Centre, Paris, 1963, n° 330, p. 118.

PARTIE III

Vers une narratique générale

En voulant justifier des actes
considérés jusque là comme blâmables,
on changera le sens ordinaire des mots
THUCYDIDE

Une doctrine scientifiquement fondée
du contenu sémantique des formes linguistiques,
incluant les mots, n'est pas seulement
d'un intérêt théorique, mais est aussi,
de façon directe, d'une grande importance
pour le futur de l'humanité
HJELMSLEV

L'architecture faite avec des
« narrations » est le surrécit
KHLEBNIKOV

Celui qui ne craint pas d'être
lardé de coups d'épée,
ose désarçonner l'empereur
MAO TSÉ-TOUNG, 1957

L'histoire : c'est ce mot d'Hérodote qui s'est prolongé.

Elle est cela que raconte celui qui sait : l'*histor* (grec) n'est autre que le *gnarus* ou le *narus* (latin). Ἰδέα, εἶδον, οἶδα, ἵστωρ, ἱστορίη : série de mots, signifiant la vue de la pensée voyant et sachant, ou l' « idée ».

Gnosco, gnarus, narus, narrator, narratio : autre série signifiante, désignant la tension « cognitive » qui est connaissance et narration. Dès les premiers pas de la pensée et du langage — mais cela semble être resté inaperçu curieusement — la critique de la raison historique ou historienne se découvre comme critique de la « raison » narrative, ou plutôt : critique de l'*économie de* narration.

Et ceci également est demeuré en partie inaperçu : que le sous-titre donné par Marx au « Capital » soit la reprise, ironique et appuyée, des grands titres kantiens. Ainsi le titre véritable du travail par quoi le matérialisme historique ou, plus exactement dans les termes de Marx, la conception matérialiste de l'histoire a été effectivement constituée, ce sous-titre qui nous livre la clé de l'ironie marxiste annonce une *critique :* la critique de toute conception de l'histoire fonctionnant de façon rationelle, ou comme « raison ».

Que la critique de la pratique historique ou historienne, et de sa « raison », passe par une critique de la narration, et de sa possibilité même, voilà ce qui est maintenant mis en jeu.

I. POÉTIQUE ET NARRATIQUE

Assez curieusement, la conscience des questions propres à une critique de la narrativité s'est amorcée dans une région apparemment éloignée du champ où se déploie de façon habituelle la problématique de l'histoire. C'est à l'intérieur de l'ancienne « poétique » aristotélicienne que s'indiquent les prodromes d'une *narratique* — et c'est en tirant les conséquences de la nou-

velle linguistique, constituée en science rigoureuse dans le sillage des forma-
listes russes, de leur « Société pour l'étude du langage poétique » et des travaux publiés par eux dans *Poetika*, que ce travail avant-coureur s'est trouvé
repris. Mais leurs enjeux ne pourront pas se dégager pleinement dans un
cadre qui se voudrait limité aux domaines désignés actuellement par le terme
saussurien de sémiologie. Ces enjeux ne surgissent dans toute la force de leur
paradoxe qu'aux confins improbables entre une « poétique de la langue » et
une « critique de l'économie politique » — si l'on veut marquer au maximum
les bords opposés de cette jointure. Entendant par là, d'une part, l'analyse
des *formes du langage* qui tente de saisir leurs procédés de production et de
transmission et qui s'applique, au-delà des unités linguistiques, à des énoncés
entiers — et de l'autre, la critique des *formes sociales* de production et
d'échange.

Entre ces deux domaines le seul plan qui soit mitoyen est la narration.
Car elle est le langage lui-même, du moins le langage en acte et *rapportant*
son objet. Et elle est l'histoire elle-même, car il n'y a pas d'histoire *sans*
les formes de sa narration. En ce plan se recoupent la hantise historique et
l'attention linguistique du monde qui vient : elle est le langage, plus l'histoire.

Mais plus précise et plus active est la jointure. Car ce qu'il est convenu
d'appeler l'histoire — l'histoire en acte — est tramé par sa propre narration.
Trame qui se découvre dans les documents les plus ingénus. Qu'est-ce que
le 9 Thermidor ? Après l'affrontement des langages à la tribune, et le décret
contre Robespierre et son arrestation : « alors la séance fut reprise ; *on en
consacra le commencement au récit* des divers événements que nous venons de
rapporter. » Qu'arrive-t-il encore ? Collot d'Herbois « vient l'avertir... Des
hommes armés venaient d'investir le comité de sûreté générale. Henriot mis
en liberté prêchait la révolte. L'assemblée était entourée d'une force enne-
mie ». Que font les acteurs présents ? Vont-ils courir aux armes pour affronter
physiquement le danger ? La convention « mit hors la loi Henriot, la commune
et les députés rebelles, nomma Barras, l'un de ses membres, chef de la force
armée... et adopta une adresse de Barère au peuple français, où *étaient
retracés les événements* de la journée, et la nouvelle lutte qui venait de s'engager [1] ». Sur la place de Grève, que fait l'armée ? « A deux heures du matin,

1 *Histoire de la Révolution Française*, par Ach. Roche. A Paris, chez Raymond,
éditeur de la Bibliothèque du XIXᵉ siècle, Rue de la Bibliothèque nº 4. 1825. (p. 260.)
Ce livre naïf se réfère encore à des narrations directes, transmises à l'auteur oralement.

l'armée conventionnelle, formée en deux colonnes, se dirigea contre les révoltés. L'une investit la maison commune, l'autre *proclama sur la place de Grève* le décret qui mettait hors la loi les conjurés. Les canonniers se retirèrent, la foule armée qui encombrait la place, en voyant cette désertion, hésita. » La journée la plus décisive de la Révolution française est cette stratégie des récits immédiats.

Encore faut-il préciser que l'action du récit, dans un tel exemple, passe par un concept décisif, celui de la souveraineté du peuple : il donne à l'adresse de Barère et à la proclamation en place de Grève leur efficacité. Mais qu'est-ce qu'un concept ou une « idée », sinon — dans les termes spinozistes — un « récit de la nature », pour ainsi dire abrégé. Abréviation de la narration historique, et protohistorique, par quoi Jean-Jacques livrait les formules développées du Contrat social ou du Discours sur l'inégalité. Les deux ou trois récits stratégiquement efficaces du 9 thermidor — le récit du commencement de séance, celui de l'Adresse de Barère, celui de la proclamation en place de Grève — portent ainsi avec eux plusieurs *degrés*, ou puissances, de la narrativité. Ils rapportent en eux les récits abstraits de Rousseau et Mably.

Chacun de ces degrés ramassant et portant ainsi avec lui l'étendue de ses transmissions antérieures : la proclamation faite sur la place de Grève le 9 Thermidor retient en elle, non seulement la grande narration rousseauiste, mais ce moment de l'an 89 où l'Assemblée *Constituante* l'assumait et la retransmettait pour avoir, le 17 juin, « hardiment arboré un nom nouveau, puissant par sa signification » (Guizot). C'est cette accumulation des puissances narratives qui en fait un récit *idéologique*.

NARRATION IDÉOLOGIQUE, BASE RÉELLE

Il faut reprendre encore une fois à sa source ce mot-là. Un de ses premiers emplois dans la fonction d'adjectif est peut-être cette lettre de Beyle à sa sœur : « Gaëtan comprend-il cette lettre ? Fais-lui copier la partie idéologique » (7 février 1806). Et juste avant : « Lis-tu l'*Idéologie ?* Tu peux sauter la grammaire (...) et lire tout de suite la *Logique* (...) Tu y verras comme quoi nos jugements ne sont que l'énoncé d'une circonstance remarquée dans un souvenir : Ce café de Mme Ducros était trop chaud. » L'idéologie, au sens de Tracy et de Beyle, commence par cette « science des idées » (Lettre du 14 février 1805), qui est aussi « la science de l'homme » (29 octobre 1804), ou plus exactement « sur la frontière de la science » (31 décembre 1804). Car « voilà l'idée d'*être trop* chaud remarquée dans le souvenir du café ». La saisie d'un rapport dans l'acte de *rapporter* — dans le geste que les langues italienne et espagnole nomment *referto* ou *referente* — voici ce qui a lieu par « l'énoncé d'une circonstance remarquée dans un souvenir ». L'adjectif idéologique reçoit ses premières acceptions en rapport avec cet ordre d'énoncé narratif [2] tout premier.

La connotation du mépris napoléonien transforme, on le sait, la frappe du mot — pour le conduire au sens que lui donne le marxisme depuis l'*Idéologie allemande ;* et dont en 1791 le discours de Barnave du 15 juillet, prononcé après la fuite du roi, dessine déjà les enjeux dans les termes nus de l'intérêt bourgeois. Il s'agissait de défendre le roi ramené de Varenne, et le rôle que la constitution venait de prévoir pour lui : Barnave prédit, si l'on n'en adopte pas le projet, l'imminence d'une nouvelle révolution : car « ce ne sont pas les idées métaphysiques qui entraînent les masses dans la carrière des révolutions, mais bien les intérêts réels ». Le discours de Barnave s'appuie sur cette narration : « La nuit du 4 août nous a donné plus de bras que tous les décrets constitutionnels. Pensez-vous qu'il nous reste encore une semblable séance à faire naître, à moins d'offrir en proie au peuple, dans un nouveau 4 août, la propriété, seule inégalité qu'il nous reste à détruire ? » Ce récit, *idéologique* s'il en fut, — et aux deux sens du mot, au sens marxiste comme au sens stendhalien — emporte cet événement : l'adoption de la première constitution européenne, la fondation juridique de l'État bourgeois. En même temps qu'il énonce avec clarté, et par anticipation, la conception matérialiste de l'histoire — mais dans toute la naïveté de l'aperception bourgeoise, comme idéologie.

Que le matérialisme historique soit ce retournement, consciemment ironique, de l'idéologie bourgeoise elle-même, c'est bien visible : renverser l'idéalisme de la dialectique hegelienne par le biais de l'idéologie bourgeoise, et subvertir l'idéologie bourgeoise par le mouvement de la dialectique, tel est bien le projet de Marx. Mais que l'ensemble de ce procès, à la fois réel et pensé, mette à nu les paradoxes constitutifs de l'histoire, c'est ce qui peut pleinement apparaître si l'on est attentif à l'opération qui se joue, en particulier, dans le Discours de Barnave.

Ce Discours en effet est un récit de l'histoire en cours, il nous conte au passage la nuit du 4 août, il raconte tout au long le débat politique qui a suivi la fuite et le retour du roi, et il rapporte ses enjeux. Mais le rapport qu'il y perçoit — Idéo-logie au sens stendhalien — nous jette hors de la narration et

---

2 Ou *constatif.* « Le rapport *conster :* constat est... parallèle à *résulter : résultat* » (in J.L. Austin, *Quand dire c'est faire*, Notes du traducteur, p. 170).

de ses vues ou « idées ». Car « ce ne sont pas les idées qui entraînent les masses », et qui font l'histoire, « mais bien les intérêts réels » : décentrement qui désigne clairement ce récit comme idéologique, au sens marxiste du mot. Ainsi se découvre un procès à plusieurs niveaux — celui des *idées* ne faisant que recouvrir le niveau plus profond qui le détermine ou l' « entraîne » effectivement : celui des *intérêts réels*. Le niveau narratif et idéologique n'est donc que la surface, ou l'apparence, de ce qui est produit à un niveau plus profond, ou plus « réel ». Mais en même temps il en est l'enveloppe, il contient ce dernier, puisqu'il le découvre et l'énonce. Bien plus, il *produit* un effet sur le plan même qu'il vient de déceler : car en révélant à l'Assemblée nationale les « intérêts réels » de sa majorité, il entraîne bel et bien celle-ci à voter le projet de décret préparé par le rapport des comités. La promulgation de la constitution, l'élection de la Législative, une année d'histoire effective et les effets qui s'ensuivront, voilà ce que produit ici la narration. Deux jours après le discours de Barnave et le vote du décret, le drapeau rouge de la loi martiale [3] est suspendu à l'Hôtel de ville et amené sur le Champ de Mars, contre ceux qui réclament la déchéance du roi : à ce drapeau rouge de la monarchie constitutionnelle et de l'idéologie bourgeoise — reçu par une grêle de pierres — va répondre, en juillet de l'an qui suit, mais marqué d'un sens *inverse*, le drapeau rouge de l'insurrection et de la souveraineté populaire [4], opposé à la tyrannie. Le *signe* révolutionnaire le plus prégnant d'histoire à venir, celui de la Commune de Paris, de l'Octobre russe et de la Longue Marche, vient se charger à la source du récit idéologique, ici. A ce point où, procédant de la révolution bourgeoise, il engendre une révolution populaire.

La narration est cette fonction fondamentale et comme primitive du langage qui, portée par la base matérielle des sociétés, non seulement touche à l'histoire mais effectivement l'*engendre*.

L'histoire, c'est cette narration qui se sait. Mais déjà le *narrator*, le *narus* est connaissant, et sa pratique est celle qui constitue la connaissance dans son mouvement tout premier : son *rapporter* est ce qui rend possible tout rapport.

---

3 « La municipalité... avait décrété la loi martiale et suspendu le drapeau rouge à l'hôtel-de-ville. Les envoyés des pétitionnaires s'assurèrent par leurs propres yeux que ce signe était arboré » (*op. cit.* p. 130).
4 Michelet : « Le 25 juillet (1792), un festin civique fut donné aux fédérés sur l'emplacement des ruines de la Bastille, et la même nuit, du 25 au 26, un directoire d'insurrection s'assemble au *Soleil d'or*, petit cabaret voisin. (...) Fournier apporta un drapeau rouge, avec cette inscription dictée par Carra : « Loi martiale du peuple souverain contre la rébellion du pouvoir exécutif » (*Histoire de la Révolution*, livre VI, chap. IX).

Est « historien » celui qui veut rentrer de façon conséquente dans cette narration primitive : il est celui qui, « désirant savoir » — ἐθέλων εἰδέναι —, veut tout raconter à nouveau. A lui qui va interrogeant — « à moi qui m'informait », note Hérodote, μοι ἱστορέοντι [5] —, le premier narrateur répond en racontant. Mais ce premier narrateur est amené lui-même à rapporter un narrateur primitif. A Hérodote *historiant* — ἱστορέων —, les prêtres d'Égypte racontent l'aventure d'Hélène et d'Alexandre débarquant sur le sol égyptien ; et dont les esclaves, réfugiés dans le sanctuaire du dieu, accusent Alexandre : « dans l'intention de lui nuire racontant toute l'histoire » : produisant leurs accusations devant des témoins qui, à leur tour, vont tout raconter au roi Protée. Que l'écouteur fondamental, appelé à recevoir les degrés superposés de la primitive narration, ait dans la toute première des Histoires pris un tel nom — Protée [6] — c'est bien dans l'ironie de ce procès. Curieusement, mais de façon caractéristique, cette superposition ou cette cascade de narrations est mise à découvert avec clarté dans l'un de ces contes égyptiens dont est parsemé le livre II des Histoires d'Hérodote : c'est dans une fiction narrative que la production de l'action par le récit est, comme moment central, ainsi mise à nu. Il appartient à l'histoire de l'âge classique — et l'on peut affirmer qu'elle est à peine sortie de cet âge-là — d'effacer sous le récit « vrai » de l'*historiant* la trame permanente et agissante de la narration primitive.

NARRATION PRIMITIVE, RÉCIT « VRAI »

Le récit historiant trouve sa « vérité » dans la coïncidence de deux ou plusieurs variantes narratives, distinctes dans leur source. Il est « vrai » pour nous que Sennachérib, envahissant l'Égypte, a dû battre en retraite : car le récit en est fait distinctement dans Hérodote II, 141 et dans II *Rois*, 19, 35-35, les traces inscrites sur la pierre d'Égypte apportant en outre une série de troisièmes versions. La coïncidence des variantes fait apparaître en effet un récit unifié, véritable portrait-robot obtenu par la superposition des traits. Le décalque de ce récit unique ne devient visible qu'au prix de l'effacement des versions. Le Sanacharibos du Livre II d'Hérodote et le Sennachérib du IIᵉ livre des Rois tendent à disparaître l'un dans l'autre, et à se fondre dans le pharaon des inscriptions, celui des « monuments » ou *mnémosyna*.

5 *Historia II*, 113.
6. « Qui change continuellement de forme » (*Dictionnaire universel de la langue française*, à Paris, chez H. Verdière, 1823).

Mais tout autre est la relation entre le récit historien ou historiant et la narration primitive qui le rend possible, non pas comme simple document à utiliser pour l'effacer (sinon comme « référence ») dans la version finale, mais comme la trame multiple par quoi la suite réelle de « l'événement » s'est elle-même engendrée. En oblitérant cette trame des *narrations génératives* sous le texte terminal du *récit historiant*, l'âge classique de l'Histoire — de Thucydide à Thierry et ce qui l'a suivi — repose sur l'omission de ce procès fondamental, et de ce qui l'engendre et l'articule. Omission d'autant plus lourde, à mesure que ce procès se trame d'une façon toujours plus prégnante : le propre de la modernité est cette force, toujours plus dangereuse, de l'engendrement narratif. Dans le récit d'Hérodote, la narration active, accusatrice, des suppliants remonte vers un seul écouteur, vers l'auditeur royal, eût-il pour nom Protée. La séance du 9 thermidor commence par trois récits, de Saint-Just, de Tallien, de Billaud : « quelques membres du gouvernement ont quitté la route de la sagesse » — « hier un membre du gouvernement a prononcé un discours en son nom particulier » — « hier j'ai assisté à la séance des jacobins »... A la reprise de la séance « on en consacra le commencement au récit ». Ici l'écouteur multiple et protéiforme qui reçoit de toute part la narration active, et l'inscrit aussitôt dans l'événement (« la convention, *instruite de* la rébellion de la commune, la manda à sa barre »), est encore rassemblé dans le même lieu, où chaque récitant est immédiatement entendu. L'âge qui s'ouvre avec la dépêche bismarckienne et la Commune de Paris est celui où l'*Erzählung* se transmet et se répercute aussitôt en tous lieux et, dira Jünger, de façon planétaire. La république allemande va être entre les deux guerres mondiales ce lieu fermé, mais perméable, traversé par les grandes polarités de l'Ouest et de l'Est de part en part, où le *procès de la production et de la circulation* des récits idéologiques s'accélère et se généralise, et agit redoutablement sur sa base réelle.

Les diverses variantes du récit historique s'abolissent dans l'établissement du fait à narrer : il n'y a qu'une seule retraite de Sennachérib, une seule arrestation de Robespierre. Là où plusieurs variantes coexistent encore pour répondre à la même question — qui a tiré sur Robespierre ? qui a mis le feu au Reichstag ? —, il n'y en a évidemment qu'une seule à pouvoir entrer dans le récit « vrai [7] ». Mais il n'en est pas de même pour les versions différentes de

---

[7] Le Reichstag a été incendié par Van der Lubbe et « des communistes » (thèse des nazis); par van der Lubbe seul (thèse de Fritz Tobias); par des membres de la SA (thèse de W. Münzenberg, de Gisevius; conclusions de la Commission de 1970) — les trois hypothèses ne pouvant être vraies à la fois.

la narration primitive : elles agissent toutes concurremment. C'est parce que Saint-Just vient de raconter que

« des membres du gouvernement ont quitté la route de la sagesse »,

que Tallien peut l'interrompre pour narrer le fait qu'

« hier un membre du gouvernement a prononcé un discours en son nom particulier ».

Tout au long de la séance court la double narration. Tout au long du printemps allemand de l'an 34 court le récit selon quoi l'Allemagne est engagée dans une Révolution Conservatrice, et celui qui décrit les prodromes d'une Seconde Révolution. Mais ce qui finalement a lieu, la « Révolution froide », la *nationale Revolution* que déclare Frick, n'annule pas ces deux narrations : ce qui s'est fait par la mort a été *produit* par la tension et les transformations des deux versions narratives, opposées ou arcboutées l'une à l'autre, et brusquement suspendues. A ce niveau du procès fondamental, il n'y a jamais d'effacement des versions, mais seulement leur suspension dans ce qui se fait, hors de leur texte narratif : hors langage — pour entrer dans le récit historien comme son action.

Le procès fondamental de l'histoire se déploie sur plusieurs niveaux en même temps. Il est la chaîne des langages, et de ses « idées »; et en même temps, pour reprendre les termes de Barnave, la suite des intérêts « réels ». Il est le discours politique de la République allemande, et il est la Grande Dépression. Discours politique qui emporte avec lui plusieurs degrés de langage : y compris le « style » de Jünger ou de Spengler, dans lequel leur narration générale est ramassée. Dépression économique qui résume et amplifie les contre-coups de plusieurs décades de développement technologique et ses mouvements de longue durée [8] : la vague de la seconde révolution industrielle, celle de l'électrification et de l'automobile, a-t-elle produit les grandes oscillations des années vingt et la retombée brusque de l'an 29 ? A l'un des niveaux : styles et esthétiques — à l'autre : le montage matériel. Mais le rapport même des niveaux est annoncé ou dénoncé dans l'*enveloppe narrative* dont le discours de Barnave a été le prélude, ou la première proposition : celle-ci, avant même que le récit historiant s'en empare, s'est déjà mise à

8 V. les travaux de Spiethoff et de Woytinsky en Allemagne, de Kondratieff en U.R.S.S. et de Schumpeter aux U.S.A. (cf. *Langages totalitaires*, Livre II, Partie IV).

produire le procès de l'histoire, elle fonde la constitution bourgeoise, elle arbore le *signe* de son drapeau rouge (avant de le voir marqué en signe inverse), à la Constituante française succède la monarchie de juillet girondine, comme à la constituante allemande succèdera Weimar. Aux deux bouts de la chaîne, et enveloppant les niveaux superposés et connexes, ou enchevêtrés, de l'histoire en acte : d'une part la trame des narrations primitives ou immédiates, articulant et produisant le procès fondamental — de l'autre le récit historiant, qui réduit à une seule les diverses *variantes* du même fait. Mais qui est appelé désormais à dessiner les *versions* différentes du récit idéologique, et à inscrire leur combinatoire et ses effets multilatéraux.

Car la « vérité » de l'histoire ce serait à la fois, et contradictoirement en apparence, de ramener à une seule les variantes du même *fait* — mais aussi de retracer dans leur ensemble les multiples versions de la narration primitive comme porteuses d'*effets*.

Et il est fréquent de voir les variantes du récit historien ne faire que prolonger respectivement les versions diverses du récit idéologique. Dans le second après-guerre allemand, le récit de H. J. Schwierskott, élève et ami de H. J. Schoeps le *Jungkonservative*, ne fait que reprendre en l'inversant la narration jeune-conservatrice. Celui de O. E. Schüddekopf, disciple de Hielscher, en fera de même pour la narration *nationale-révolutionnaire*, celle des « Gens de gauche de la Droite ».

NARRATION ET FICTION

Le tout premier des récits d'historien ou d'historiant, dans sa tentative pour reconstituer l'histoire entière de l'Égypte depuis Min jusqu'à Cambyse, a obtenu un double et paradoxal résultat. Le Livre II des *Histoires* apporte en effet jusqu'à nous les plus anciens noms de l'histoire humaine, *vérifiables* d'ailleurs en d'autres variantes : le Min d'Hérodote est confirmé par le Ménès de Manéthon, en langue grecque, ou par le Mêna ou Mina, en langue égyptienne, des inscriptions ; à son Chéops, répond le Khoufon des récits égyptiens, comme à Chéphren, Khâfra. Mais en même temps le Livre II de cette première Histoire est le premier recueil de contes populaires, comparable à celui d'Afanassiev en langue russe, qui constituait ce corpus dans lequel Propp a trouvé le matériel nécessaire à la première analyse structurale du récit. L'histoire de Phéros, le conte du maître voleur des trésors de Rhampsinite, ou la vengeance de Nitocris, appartiennent à l'inventaire mondial des contes populaires, au même titre et sur le même plan que les recueils de G. Maspéro. Au premier ἱστορέων, « désirant savoir » de première main et s'informant sur place, dans le sanctuaire de Phtah à Memphis, à Saïs, Boubastis ou Bouto, la narration orale a répondu ironiquement — par des fictions. Ironie d'autant plus appuyée, à nos yeux, qu'à cette date archives et documents existent déjà, précisément, dans les sanctuaires égyptiens, et ils sont maintenant à la disposition des historiens. Que l'historiant initial, aventuré dans la narration, ait rencontré en elle la fiction, ce n'est pas un accident fortuit : cela même appartient au procès fondamental. Les « sources » d'Hérodote sont fictives, en dépit de sa volonté historienne d'aller en « s'informant », parce que la fiction appartient au procès de la narration primitive se faisant.

Et ici survient un paradoxe nouveau : c'est la narration fictive, et elle seule jusqu'à présent, qui a pu faire l'objet d'une analyse structurale formalisée. Elle seule, qui est fiction ou plaisanterie, est susceptible de science rigoureuse et de formalisation. Tandis que la narration « vraie », dont l'objet est « réel », ne relève que d'un discours littéraire condamné à se mouvoir dans la langue naturelle du récit.

En raison de ce nouveau paradoxe, justement, notre but ne peut être d'essayer une « analyse structurale » du récit historique. Il est au contraire de tenter de saisir ce point où les structures narratives — fictives ou non — *engendrent* un procès, et par leurs *transformations* ont un effet sur un *autre* terrain : celui de l'action même, et de ses « intérêts réels ».

Mais bien entendu les transformations combinées [9] du discours *ne sont pas* l'action. Ce n'est pas la combinaison de la narration de Saint-Just et de celle de Tallien, et la série entière des discours successifs, qui arrêtent Robespierre, c'est la main des huissiers. Ce n'est pas le développement simultané du discours de Jung-Papen et des déclarations de Röhm, qui tue Edgar Jung et Röhm à la fois, ce sont les armes des SS. Mais là comme ici un champ de langage se constitue, qui débouche sur *l'acceptabilité* des décisions. Ce qu'il s'agit d'explorer, c'est la constitution de ces champs — et par cela même qui les éclaire et les explore immédiatement : la fonction narrative du discours. Ici la théorie de la connaissance peut directement, pour la première fois, prendre pied sur un matériau à la fois ambigu et consistant, afin d'y construire une expérimentation.

Car la pratique de la connaissance humaine a son lieu initial en cela :

---

9 Roman Jakobson (in : *Change 2*), à propos du *Vers Régulier Chinois.*

l'homme est cet animal qui énonce ce qu'il fait, — qui connaît ce qu'il narre. Et la succession de langages qui se déploie ce faisant n'est pas un simple matériel, elle produit un champ qui éclaire cela même qui l'a émis. La république de Weimar déplie tout un champ de récits idéologiques à son propre sujet, et ce champ qui se déplace avec elle-même dans le temps l'éclaire dangereusement, et vient modifier ce qui est à la fois son émetteur et son point de frappe.

A cet égard, la république allemande de Weimar constitue un lieu d'expérimentation privilégié. Sa durée tient dans des limites bien marquées, qui coïncident presque, entre deux crises décennales, avec celles d'une période économique. Son lieu idéologique est défini entre l'insurrection spartakiste, apportant avec elle tout ce qui se dit alors sur la Révolution russe, et l'assemblée constituante, qui ramasse en elle ce qui s'est énoncé sur les Constituantes françaises et le parlement de Francfort : il ramasse toute la narration idéologique européenne autour de lui. Ce champ de langage touche, d'un côté, au terrain de la conjoncture économique mondiale ; de l'autre, aux énoncés les plus marqués littérairement ou esthétiquement — Wagner, George, Spengler, Jünger — dans la langue de l'idéologie. Clivé ainsi en couches mouvantes, il les englobe cependant dans un seul procès : car le langage y raconte à la fois que, par exemple, l'*Arminius* de Jünger est le porte-parole du *Wiking Bund*, et que des expertises économiques rapportent, selon leurs différents angles de vue, le déroulement de la Grande Dépression.

Ainsi autour de la brève expérience Schleicher on voit un moment se superposer, au même pôle, le récit idéologique au jour-le-jour de Zehrer ; l'épopée doctrinaire du national-bolchévisme jüngerien ; et les rapports de Lautenbach et de son groupe d'experts au ministère de l'économie. Au pôle opposé du champ de langage dans le Mouvement national de l'extrême-droite allemande, Papen s'empare, dans *Der Ring*, de la narration jeune-conservatrice pour opérer au Club des Messieurs sa rentrée. Dans le même temps, la circulation des énoncés économiques, des rapports et comptes rendus [10] produit une transformation de la pratique et de l'expérience effective qui échappe tout à fait aux intentions des acteurs principaux. Entre le groupe Woytinsky, le groupe Gereke-Lautenbach, le groupe Dräger — respectivement : au parti social-démocrate, dans la zone « gauche de la Droite », et dans l'aile Strasser du parti nazi — la circulation des énoncés rendra finalement

[10] « *Compte*, s.m. (...) nombre, calcul, (...) récit de ce que l'on a vu, fait ou entendu (rendre — d'un événement, d'un combat, d'une conversation, de sa conduite). » in : *Dictionnaire universel de la langue française*,1823.

acceptable quelque chose d'aussi contraire aux principes les plus explicites de Schacht que va l'être au premier printemps du Troisième Reich le programme Reinhardt. Acceptable : à l'intérieur même du « Rapport sur un compte-rendu [11] » de Vögler lui-même, l'homme dont le langage mesure ce qui est alors l'inacceptable pour les détenteurs du capital dans la Grande Industrie, et pour les hôtes habituels du Club des Messieurs.

Épopée doctrinaire de Jünger (à laquelle Heidegger fera plusieurs fois référence) ; narrations idéologiques de Zehrer ; compte-rendus ou rapports de Lautenbach dans les cadres du plan Gereke — telles sont les superpositions du discours dans la zone des « gens de gauche de la Droite ». Comment traiter cet ordre d'ensembles à plusieurs niveaux, qui se développent en engendrant l'histoire, par plusieurs sens à la fois ?

Le paradoxe que nous retrouvons est bien celui-ci : plus fabuleux, plus irréels, plus « imaginaires » sont les discours narratifs, et plus ils ont chance de tomber sous les prises d'une analyse aisément formalisable (ou « structurale »). Ainsi en est-il autour du pôle le plus marqué par les traits du racisme « völkisch » : au *Parsifal* de Wagner, à certaines séquences de l'*Ostara* de Lanz von Liebenfels, au *Lorenzaccio* de Dietrich Eckart il serait possible d'appliquer strictement les méthodes dégagées à propos de la Morphologie des « contes merveilleux ». Mais aussi « merveilleux » que soient les récits *völkische* de Wagner, Lanz, Eckart, ce n'est pas une telle analyse structurale qui ferait ressortir leur redoutable *Wirkung*, dans l'espace historique, et sur le terrain des intérêts réels : un découpage strictement « textuel » laissera échapper ce qui déjà, dans le tissu de ces fables, commence à *avoir lieu*.

PROSODIE DU RÉCIT

Mais cela qui s'engendre à travers le déploiement fabuleux des narrations « völkische » n'est pas saisissable en une seule d'entre elles. Ce n'est pas la chaîne narrative, mais le champ, par quoi quelque chose se développe : ce qui constitue ce champ se réalise par une série discontinue de *positions*. A leur tour, les positions dans ce champ ne sont pas repérables en-dehors du champ plus large qui l'englobe, dans l'ensemble de la « *nationale Bewegung* ». On est tenté d'avancer ici l'hypothèse d'une structure profonde — *générative* —,

---

[11] « *Bericht über ein Referat* », in : *Schreiben des Treuhändlers für Arbeit für das Wirtschaftsgebiet Westfalen*, an Grauert, 14 Oktober 1933.

comparable à celle que la théorie de Halle et Keyser [12] décèle dans le mètre (accentuel) sur le terrain de la langue poétique. Mais ici la structure profonde du langage mis en cause ne se bornerait pas à une « prosodie » linéaire : elle répondrait bien plutôt aux modèles des « prosodies du déplacement », dans lesquelles éventuellement les formes fixes ne jouent qu'un rôle de repère ou de marque. Dans le modèle de Halle-Keyser, la structure profonde du mètre (ïambique, par exemple) est réalisée par la succession discrète des « positions »; la structure de surface n'est autre que le vers lui-même, obtenu par une suite de *transformations* de la structure profonde. Dans le langage qui nous préoccupe, la structure profonde se réaliserait par un champ entier de séries de positions, la structure de surface serait l'entière partition des discours, contemporains les uns des autres, qui rendent « énonçable » une certaine décision, ou combinaison de décisions.

A la métrique générative du modèle de Halle et Keyser, pourrait ainsi correspondre l'hypothèse d'une narratique générative : c'est le caractère «prosodique» des coupes et des accents, marquant les séries de positions, qui en réaliserait la structure profonde.

(S.P.)

```
SPENGLER   : Tout Allemand est │ ouvrier :
                                         │                                 (1919)
                                         │ donc  ⎛ conservateur
                                         │       ⎨   [N]
                                         │       ⎩   [S]
                                         │ acte  ⎝ révolutionnaire
                                │ l'Ouvrier :
JUNGER  : La «nouvelle race» est │                                         (1932)
      │
      │
      ↓
(S.S.)
```

HITLER : « Je suis : le révolutionnaire le plus conservateur du monde » [l'Allemand]
(*Völkischer Beobachter*, 1936)

Pareille perspective de méthode réaliserait rigoureusement le projet indiqué, dès sa première proposition, par Thucydide l'Athénien, et ramassé dans un verbe habituellement traduit en langue française par le mot « raconter » : le *syngraphein* — la « syn-graphie ». La tentative d'une histoire syngraphique passe par une épistémologie du récit, et une nouvelle pratique narrative.

12 Morris Halle and Samuel J. Keyser, « Chaucer and the study of prosody » 1966. Cf *Change 6*, p. 16, 4.3.3.

SOCIOLOGIE ET SÉMANTIQUE

Ainsi une *sociologie des langages* idéologiques, comme discipline empirique, pourrait déboucher sur une *sémantique de l'histoire*, comme discipline théorique à constituer[13]. Dans une perspective générative et transformationnelle, il serait possible d'explorer la production des champs d'énoncés.

Là où les séries iraient en convergeant vers la coupure d'une décision ou d'une action : coupure révolutionnaire — ou contre-révolutionnaire —. C'est-à-dire, dans les deux cas, où les investissements du langage dans l'action sont massifs et longs, mais pour se concentrer dans une décision relativement courte et précipitée.

Sociologie et sémantique : toutes deux réunies ne faisant qu'appartenir à une *critique de l'économie générale* du langage et de l'action : de la production en général, et de la production du langage comme cas particulier et fondamental à la fois.

Cette critique reviendrait du même coup à dessiner des prolégomènes ou une contribution à toute révolution possible.

Car cette exploration à deux (ou trois) degrés (puisque les moments *sociologique* et *sémantique* y préluderaient à la tâche proprement *critique*) pourrait se développer sur d'autres terrains que celui de la contre-révolution allemande des années trente.

On rêverait de la voir aux prises avec le champ de l'Octobre russe. Travail qui ne serait possible que si les archives complètes des semaines de Petrograd pouvaient être constituées : elles supposeraient le rassemblement de toutes les lettres, et notes, de tous les messages sans distinction émis par les acteurs principaux du Soviet de Petrograd et des animateurs de ses différents partis — et de l'enregistrement, sténographique ou autre, de tous les discours prononcés, de toutes les improvisations orales. De cette immense circulation d'énoncés, de leur trame narrative enveloppant, instant par instant, l'action et l'événement « réel », on verrait ressortir les coupures des points de décision énonçable. La grande roue en mouvement des récits idéologiques propres aux différents partis soviétiques, aux divers groupes intérieurs ou extérieurs

13 On sait que la démarche de Chomsky a contribué à rendre plus rigoureuse, plus difficilement réalisable aussi, la constitution d'une sémantique : tout en montrant le caractère « indispensable » de celle-ci dans une science générale du langage. Voir Mitsou Ronat, « Note pour une théorie de la forme des langues », in *Hypothèses*, collection Change 1972.

aux partis présents, mettrait à découvert un espace au moins comparable, en richesse sémantique, à la « rose des vents » de la Nationale Bewegung allemande des années trente — et bien supérieur évidemment à celle-ci par les enjeux historiques qui s'y trouveraient désignés. L'obstacle technique tient à l'extrême raccourcissement de la période. L'ensemble de cette production d'énoncés et d'action tient en quelques mois, et même pour l'essentiel dans les quelques semaines de l'après-été. Alors que l'expérimentation allemande se développe sur plusieurs années : sur cette décade économique élargie que remplit Weimar et sa république.

La décade élargie de Weimar et sa frontière de discours terminale n'en sont pas moins décisives, dans la stratégie de l'histoire. Là est étalée et inversée à la fois l'expérience russe : partie d'une révolution des soviets ou des conseils, elle débouche dans un coup de Kornilov (ou un Putsch de Kapp) réussi, porté à la puissance idéologique maxima par un déchaînement sans exemple de « narration idéologique ». Kornilovisme réussi, où le binôme sémantique du national-socialisme — ou, dans sa version ésotérique, de la révolution conservatrice — reproduit dans le langage ce qu'était déjà la polarité paradoxale du duumvirat Kornilov-Savinkov, dont il nous reste surtout, avec un peu de langage, les photographies.

L'histoire ici avance sans lire ce qu'elle dit ou inscrit. Tandis que le chaos prodigieux de la Révolution russe est sans cesse soumis au déchiffrement d'*un* homme qui le lit et qui a, pour chaque séquence, un code d'interprétation — même là où toutes les conséquences ne sont pas comprises dans ses prévisions —, le tumulte allemand suspend, en tous les protagonistes, la possibilité d'entendre même leur propre version. On dirait que leur discours attend toujours le verbe final de la proposition... Brüning vient au pouvoir pour intégrer à la coalition les nationaux-allemands, et il est chassé avant cela, par eux. Papen survient pour faire entrer les nationaux-socialistes dans la majorité, et il tombe sous leur poussée. Schleicher est l'homme de « l'apprivoisement » des nazis par leur aile « gauche », et il est mis dehors par l'irruption de leur droite la plus marquée. Le docteur Schacht récite les bienfaits de l'épargne et de l'initiative privée — et il pousse en scène celui qui va, à son insu, le forcer au déficit-spending, à l'inflation de crédit la plus démesurée. L'entrée en scène du « Héros » est annoncée par un tout autre registre : non pas la discussion économique entre libéraux classiques et réformateurs semi-keynésiens ou marxisants — mais le conte « merveilleux » de la narration völkische et du sadisme appliqué, selon le précepte de Lanz, « jusqu'à la castration ».

La formule « éclairante » de l'État total, qui en même temps présage, accompagne et raconte cet avènement, d'avance rend possible, et justifie dans le langage, l'institution de la castration organisée. Par le mythe elle engendre ce brusque récit qui est *vrai* : « il y a de nouveau en Europe des parias. »

II. FIGURES

La méthode ne tente pas seulement de saisir les langages morts. Elle essaye, autant qu'il se peut, de les capter dans le visage même qui les émet.

Voici quelques unes de ces figures, ayant tenu lieu de relais au procès fondamental qui se donnait pour fin la destruction organisée du visage humain. Relais très manifestes, ou quasi secrets. Qui apportent au langage en question l'acceptabilité dans les masses, ou une acceptation presque clandestine au niveau de « ce que l'on appelle pensée ».

Voici quelques uns des visages survivants — Carl Schmitt et Otto Strasser, Ernst Jünger et Hugo Fischer, Gerhard Günther et Ernst Niekisch, enfin Ernst Fortshoff. — Portant, encore, avec eux, quelques bribes de la narration.

Carl Schmitt : petit homme au visage enjoué. Retiré dans son village de Plettenberg, en Rhénanie-Westphalie, après avoir failli connaître les péripéties du Procès de Nuremberg, de fort près.

Il rit du concept de « Révolution conservatrice ». Il raille l'idée qu'un dialogue puisse être possible entre Ernst Jünger et Martin Heidegger : de celui-ci, rappelle-t-il, il a écrit dans une interview en langue italienne, qu'il était le laitier de l'être — der Milcher des Seins ». Entre Heidegger et Jünger, seules peuvent perler quelques gouttes de ce lait.

Il précise en passant qu'il possède, datant des années trente, de ses années de Berlin, toute une correspondance de Heidegger, à lui-même adressée.

Il rit aussi de Göring, qui fut « son » président, lorsque lui-même fut désigné comme membre du *Staatsrat*, ce prétendu « Conseil d'État » de Prusse qui ne siégera pratiquement jamais et ne possédait aucune attribution. De cette institution, remarque-t-il, « le principal intérêt était ce petit drapeau » qu'il permettait d'arborer, sur l'aile de son auto, et qui facilitait certaines entrées, ou résolvait certaines difficultés.

(Ce visage-là rit le plus volontiers. L'énonciation de « l'État total » ellemême le trouve fort enjoué.)

Otto Strasser — l'homme qui entr'ouvrait avec suspicion la porte pour me recevoir. Et ne l'ouvrait entièrement que trois jours plus tard, mais pour répondre aux questions avec une sorte d'avide empressement.

A sa porte, à Munich-Schwabing, Ainmillerstrasse, ce n'est pas son nom qui est inscrit. (Tête ronde et soupçonneuse, à la porte entrebaillée, pour accueillir avec défiance quiconque vient de sonner.)

Celui qui a ouvert au nazisme le chemin vers l'Allemagne industrielle — la Ruhr, puis Berlin —, qui l'a rendu *acceptable* pour les masses modernes — car Munich est alors la capitale d'une Allemagne rurale, provinciale et pour ainsi dire sous-développée, en état de permanente excentricité idéologique : bolchevique, puis fascisante, enfin anti-hitlérienne —, celui-ci me répond d'emblée par ces mots : « Nous autres *révolutionnaires* » ... « Pour un *révolutionnaire* comme moi ... »

Mais dans l'ardeur de son développement il va enchaîner : Notre principe, c'était que le XXe siècle serait le *siècle du conservatisme* — le principe du « nous », substitué à celui du « moi ». (Visage jovial désormais, de qui est heureux d'énoncer ses grandes idées.)

On parle difficilement avec Otto Strasser de sa période nazie, à la rédaction des *N.S. Briefe*. Mais il discourt volontiers de son rôle à la tête d'une « Centaine Rouge », face au Putsch de Kapp — ou de sa présence dans les cercles nationaux-révolutionnaires : aux côtés de Jünger et de Hielscher, de von Salomon et de Niekisch. Les réunions se tenaient souvent chez Niekisch, ou dans le grand appartement d'Arnold Bronnen.

Ernst Jünger — celui-ci est désormais masqué entièrement.

Il accueille, avec une politesse cordiale et froide en même temps, toute question. Mais il n'a plus guère de réponse pour tout ce qui concerne ces années-là. Contrairement à tous les autres, qui sont condamnés à leur propre passé, lui a su trouver un passé nouveau. Il est l'homme qui a découvert la civilisation à Paris — grâce à l'occupation.

Le hasard veut qu'il habite, dans l'après-guerre, la Maison du Grand Forestier très littéralement : l'*Oberförsterei* de Wilflingen, dépendance du château des Stauffenberg en pays souabe.

Ainsi tous les signes sont mixés. Ces Stauffenberg ne sont que des parents lointains de celui qui a posé aux pieds d'Hitler la bombe du 20 juillet : mais c'est leur nom. Au sujet de l'*Oberförster*, du Grand Forestier des « Falaises de Marbre », on discute encore pour savoir s'il désigne Hitler ou Staline. Si c'est Hitler, Jünger a d'avance décrit le combat désespéré des résis-

tants allemands — ou celui de Schleicher, peint sous les traits de Braquemart. Si c'est Staline, alors Hitler est Braquemart et Jünger a su prédire la défaite des armées allemandes. De toute les façons Jünger a eu raison...
Seul de tous ses amis survivants des années trente ou vingt, il a trouvé un visage qui lui permet de ne rien dire en parlant. Il peut donc se permettre de montrer le fichier de la correspondance où, à la lettre H, Heidegger précède Hitler de très peu.

(Visage au sourire élégant, attitude correcte d'officier, démarche raide de grand blessé pensionné de l'idéologie.)

On marche avec lui au milieu des framboisiers, autour de l'Oberförsterei ; avec l'auteur des « Orages d'Acier ». Au-dessus de l'escalier, des armoires entières contiennent des boîtes étiquetées et rangées, pleines d'insectes épinglés.

Hugo Fischer — le relais inaperçu.

L'un de ceux qui ont discrètement donné au pôle du national-bolchevisme ses « concepts » : son langage.

(Visage plissé par l'anxiété, discours à peine marmonné.)

Maintenant « professeur extraordinaire » à l'Université de Munich : son nom est inscrit sur les tableaux d'horaires, mais personne, parmi les étudiants et dans l'administration, n'a idée de son existence. A la salle indiquée sur les tableaux il n'a jamais été aperçu.

Il habite cependant, de façon réelle, une maison paisible aux environs de la ville. Il vient me chercher à la gare : celui qui vient n'est plus qu'un ancien professeur anglais.

Il a vécu, durant les premières années du Troisième Reich, en Norvège, et il a passé aux Indes les années de la guerre. Enseignant et écrivant, par là-bas, les enjeux de la culture mésopotamienne.

Dans les toutes premières années trente, sa correspondance avec Jünger accompagne de façon décisive — selon le témoignage de l'ancien secrétaire de Jünger, Armin Mohler — l'*Arbeiter* et sa doctrine : la Mobilisation totale. Il est, pour Jünger, officier démobilisé et théoricien sauvage, l'expert en matières nietzschéennes et hegeliennes. Il corrigeait pour lui les concepts.

Il a renoué une liaison vague avec Jünger. Avec Niekisch il a rompu tous liens.

A la question : votre correspondance avec Jünger sera-t-elle publiée ? il répond modestement : certainement pas, la partie Jünger a été saisie chez moi et détruite par la Gestapo.

Marmonnant, plutôt qu'il ne parle.

De Carl Schmitt il cite ces mots, qui datent d'après l'an 33 : n'être qu'à demi aryen, c'est comme n'avoir qu'un œil. Il remarque, riant : c'est du dadaïsme — *es ist Dadaismus.*
Il ajoute : on hésitait à contredire Carl Schmitt, il pouvait vous envoyer dans un camp de concentration.

Gerhard Günther — celui à qui Radek se référait, lorsqu'il a improvisé le terme de « national-bolchevisme ».
Il est le fils d'Agnès Günther, cet échantillon du Jugendstil romanesque. Frère aîné d'Albrecht Erich Günther : l'animateur et co-auteur du livre « Ce que nous attendons du national-socialisme », où se regroupait la fleur des Jeunes-conservateurs et des Nationaux-révolutionnaires. Le cadet est mort tuberculeux, pendant la guerre. L'aîné survit : il est maintenant le conseiller d'une « communauté évangélique », à Hambourg. (Il a le visage d'un pasteur à cheveux blancs.)
Il précise : pendant quelques semaines, de la fin de l'année 18 au début de 1919, Laufenberg « était l'homme fort de Hambourg ». Il a fondé le groupe local — l'*Ortsgruppe* — du Parti Communiste Allemand. C'était un tribun puissant. Wolffheim restait davantage dans l'ombre, il était le théoricien.
A l'arrivée du corps-franc nous avons, mon frère et moi, fait la liaison entre eux et les officiers. Nous étions officiers tous deux.
Nous avons ensuite projeté de conduire Laufenberg et Wolffheim à Berlin pour leur faire rencontrer le comte Reventlow. Nous avons fait ensemble le voyage, tous quatre. Reventlow a refusé de nous recevoir — de « recevoir un juif » : Wolffheim.
Vers la fin des années vingt le cercle que nous avions fondé organisait des conférences, dans l'immeuble de la DHV. En liaison avec la « Hanseatische Verlags-Anstalt », et le « Deutsches Volkstum » de Stapel. Dans le livre qu'il publie en ces éditions Hanséatiques, Gerhard Günther est un usager de la formule du *totale Staat.*

Des frères Günther, Otto Strasser venait de dire, à Munich un mois plus tôt : « on ne les voyait guère parmi nous à Berlin. Ils étaient plus « installés » dans la société. »
Et pourtant, précise Gerhard Günther, « Niekisch est venu faire une conférence parmi nous ».

Ernst Niekisch — le survivant entièrement aveuglé.

A Berlin Ouest, dans le quartier de Charlottenburg. il vit d'une pension que Berlin Est lui a allouée. Depuis la construction du mur et la rupture des relations postales dans la ville, entre les deux moitiés, il lui faut — il lui fallait, en cette années 1963 — aller lui-même toucher sa pension : prendre le train aérien, et descendre les escaliers du S-Bahn, à Friedrichstrasse, pour attendre dans les couloirs souterrains le droit de passer de l'autre côté.

Il est alors, depuis peu, frappé à demi de paralysie. Il est pratiquement aveugle, des suites de son existence de concentrationnaire à Buchenwald. (Ce crâne dénudé, aux larges orbites, regarde droit devant soi en parlant, articulant avec de grandes difficultés.)

Il me montre la brochure que la Gestapo a saisie, dès la prise du pouvoir hitlérienne : « Hitler, une fatalité allemande » — *Hitler, ein deutsches Verhängnis.* Il découvre la page, dessinée par A. Weber, où l'on peut voir le peuple allemand en file indienne gravir une colline, au sommet de laquelle un précipice l'attend : en bas, un immense cercueil est marqué de la croix gammée.

Ce qu'il ne rappelle pas — mais cela peut être lu dans son livre —, c'est que Hitler y est dénoncé en effet, mais comme une émanation de l'âme « latine » et une ruse « de l'Ouest ». Il se plaint de ce que, malgré la présentation de ce livre au dossier, l'Ouest ait refusé, à Bonn après la guerre, de lui verser une pension de résistant.

Il reproche à Hugo Fischer ses revirements : à l'arrivée des nazis, la Gestapo a saisi son « *Lénine* », qui était une apologie. Maintenant Fischer vient de le reprendre, presque mot pour mot, dans sa dernière publication — « Qui sera le maître de la terre ? » *Wer wird Herr der Erde sein ?* — mais pour en inverser le sens entièrement.

Il montre le compte-rendu sévère qu'il a fait, peu d'années auparavant, du livre de Schwierskott : accusant ce dernier d'avoir atténué ou effacé la responsabilité politique des Jeunes-Conservateurs et du Club des Messieurs dans l'ascension nazie. En revanche il fait l'éloge du livre de Schüddekopf sur les Nationaux-Révolutionnaires, sur « les hommes de gauche de la Droite » — où ceux-ci se trouvent pratiquement acquittés dans le même procès idéologique. C'est pourtant Schüddekopf qui a démontré que Niekisch avait été tout près de devenir, à l'instigation de Gregor Strasser, le rédacteur en chef du quotidien nazi, le *Völkischer Beobachter.*

(Grosse tête hagarde et chauve, aux arcades sourcillères jetées en avant, et aux yeux morts. Il tend des mains aux gestes saccadés.)

Le cœur me manque pour le questionner sur les liens de Joseph Goebbels avec leur groupe, sur ses visites chez Arnold Bronnen, leur ami commun, en particulier. — Visites que Niekisch lui-même a racontées. Mais il parle volontiers de Bronnen, et de l'adhésion de celui-ci à la NSDAP : du conflit qui, alors, a éclaté entre eux.

L'entretien en vient à Ernst Toller qui, en mai de l'année 19, succédait à Niekisch à la tête du Soviet de Bavière. « C'est moi qui lui ai dit de quitter l'Allemagne, quand Hitler a pris le pouvoir. »

A la question : vous aviez donc en même temps des liens avec des hommes de la tendance Toller et des hommes de la tendance Bronnen ?

— Oui, j'étais le pont — *ich war die Brücke.*

Ernst Forsthoff : le plus proche disciple de Carl Schmitt, et l'auteur même de « *Der totale Staat* ».

A quelques kilomètres de Heidelberg il mène une existence tranquille, depuis qu'il a donné, à Chypre, sa démission du poste de Juge Constitutionnel auquel l'archevêque Makarios l'avait promu. La discussion véhémente, dans le « Spiegel », qu'avait déclenchée cette nomination, est maintenant apaisée.

Les conditions dans lesquelles il a écrit « L'État total » ne sont pas pour lui le sujet de conversation préféré. En revanche, il répond avec un intérêt visible à toute question qui porte sur le *Jungkonservative Klub* et son environnement.

« C'était nous » — nous les *Jungkonservative* — qui rédigions presque entièrement la revue « Der Ring ». A cette date, autour de l'année 30, Heinrich von Gleichen se consacrait surtout aux liaisons politiques et mondaines du *Herrenklub*, il ne s'occupait presque plus de la revue. Sinon pour imposer, parfois, un article ou un éditorial. C'est ainsi qu'a paru, un jour, de l'année 32, l'article d'un certain Herr Lange, représentant de la grande industrie, sans que nous en ayons été informés. Et ce fut là le motif de notre scission. Tout notre groupe a passé au « Deutsches Volkstum » de Stapel et des frères Günther.

(Physionomie rusée de professeur qui écoute un candidat parler ?)

Aux réunions du groupe venait aussi Edgar Jung — de la « Deutsche Rundschau » : « Il avait un teint bronzé, méditerranéen : cela m'a frappé. »

III. LIAISONS TRANSVERSALES

Qu'il puisse y avoir le moindre rapport entre ces quelques reclus inoffensifs, occupés à cultiver leur jardin, et le processus qui a rendu réel le Troisième Reich, c'est ce qui n'est guère convenable aux yeux du sens commun. Pourtant chacun d'eux a été, à un moment précis, un messager, chacun de ces noms s'est alors (inégalement) placé en un lieu précis de la topographie. Avec eux se reconstitue partiellement l'orbite qui a été parcourue : Forsthoff (et, dans le voisinage, Carl Schmitt) pour le pôle «jungkonservativ»; Günther pour le groupe « hanséatique »; Otto Strasser, Jünger (et Hugo Fischer), Niekisch pour les pôles nationaux-révolutionnaires ou nationaux-bolcheviques. Ne manquent pas ici, on le voit, les liaisons transversales, les *Querverbindungen :* ainsi Günther, voisin des Jeunes-Conservateurs, et auprès de qui ceux-ci se réfugient, avait pourtant été la référence de Radek, lorsque celui-ci évoquait la menace, pour l'avenir de la IIIe Internationale, d'un «nationalbolchevisme» petit-bourgeois et chauvin qui s'allierait aux éléments les plus réactionnaires de l'armée[15]. Mais ce terme devient, à l'inverse, une insulte ou un sobriquet dans la bouche d'Hitler, rompant avec Otto Strasser en raison de l'excessif « socialisme » de celui-ci.

Il n'est pas jusqu'à l'oscillateur idéologique et son « éclateur » de langage dont n'apparaisse ici l'indice réduit, et comme éteint : avec Niekisch, le pont, *die Brücke.* Celui qui a commencé (et achevé) sa vie politique aux bords de l'extrême-gauche et qui un moment — Schüddekopf l'a montré — a été près de devenir le rédacteur en chef du *Völkischer Beobachter*, celui-là appartient à ce champ par lequel vont et viennent les courants alternatifs du langage politique, aux extrémités du « fer à cheval des partis[16] ».

Bien entendu, ceux dont a pu être rencontré ainsi le visage n'ont jamais été — exeption faite d'Otto Strasser — que des messagers mineurs dans la Topographie. Les grandes transmissions, du côté du signe JK, sont relayées par les noms de Gleichen, Edgar Jung, Papen, Kurt von Schröder, — et Ribbentrop ou Göring. Du côté des signes NR ou NB, par les noms de Gregor Strasser (et d'Otto), ou de Stennes — et de Joseph Goebbels, ou de Röhm. Un moment vient où les deux langages opposés du Mouvement national sont portés par Papen au Club des Messieurs et dans *Der Ring*, — et par Schleicher avec l'entremise de *Die Tat* et de son Cercle. Ce n'est

---

15 Voir *Langages totalitaires*, Livre I, Partie I, Section II.
16 *Id.*, Livre II, Partie I.

pas la « noble » combinaison de Spengler et de Jünger qui aura donné au national-socialisme de version hitlérienne son acceptabilité, initiale et finale. C'est, au départ, la tension entre le pôle munichois (de Dietrich Eckart) et le pôle strasserien. Au point d'arrivée, et dans les tout derniers mois : la lutte à mort entre les deux derniers chanceliers. Mais le champ immense des langages émis et propagés se ramasse en certains points, où descriptions structurales et transformations se dessinent plus clairement. Construire dans la langue un duel (imaginaire) Spengler-Jünger [17], ou reconstruire le duel (effectif) Papen-Schleicher, c'est en effet tenter de contruire une expérimentation, pour y faire apparaître l'opération. Les coupes, ou la « prosodie », qui se manifestent dans certains segments plus accentués du champ, laissent apparaître les possibilités de renversements et de permutations — de ce que Mann a décelé comme la *Verschränkheit*, le processus d'entrecroisement.

LA DOUBLE PRODUCTION

Et il serait légitime de montrer que l'entrelacement des langages ne fait qu'émaner des groupes sociaux en conflit entrecroisé, et des classes sociales en tout dernier lieu. Mais en conclure que l'analyse devrait porter sur les groupes sociaux « eux-mêmes », sans s'attarder sur le plan, secondaire, de la langue, est une naïveté. Autant dire que l'investigation physique devrait, pour des raisons idéologiques, porter de préférence sur « la matière elle-même », sans faire un détour superflu par les phénomènes lumineux : ce serait déclarer qu'il faut désormais analyser les particules matérielles sans faire usage de la chambre de Wilson, qui commet l'impertinence de faire intervenir dans l'expérience ces éléments suspects, et d'allure quelque peu « immatérielle » (puisque privés de masse étrangement), que sont les particules lumineuses. Et sans doute au niveau de la première physique, à son âge cartésien ou postcartésien, on pouvait garder l'illusion de pouvoir étudier les lois des corps en mouvement — des fameues boules de billard — abstraction faite de la lumière qui les éclairait (et même si le bon sens pouvait remarquer que l'on joue difficilement au billard dans le noir complet). A l'âge quantique, il n'est plus possible d'omettre le fait que l'émission lumineuse, bien que *produite* par les champs de la gravitation matérielle,

---

17 Dans le *Questionnaire* de Von Salomon, Jünger se refuse à émigrer dans Saturne, parce que Spengler « s'y trouve déjà » ...

va *produisant* sur eux des effets, et l'effet de connaissance (ou de « visibilité ») en tout premier lieu.

Ainsi en est-il du rapport entre sociétés humaines et langages humains, et dans des conditions d'homologie trop prégnants pour être purement métaphoriques. Il était possible à Barnave d'assurer, en gros, que « les intérêts réels » et non « les idées » entraînent, ou déterminent, les masses « dans la carrière des révolutions ». Mais en l'affirmant il omettait de dire que son discours (et les « idées » qu'il émettait sur ces intérêts fort « réels » de la bourgeoisie) *produisait* la majorité du 15 juillet, et l'adoption par elle du texte de la « révision » constitutionnelle, et ce langage éphémère — mais frappant, et même mortel — qu'a été sur le Champ de mars le drapeau rouge de la bourgeoisie. Le propre de l'idéologie bourgeoise est d'avoir rendu possible la perception séparée de ces deux plans, mais en maintenant une cécité théorique sur le rapport — dialectique s'il en fut — entre eux, précisément dans l'émission de langue. (Ce rapport ne commençant à être exploré que dans la séquence Tracy-Beyle, mais dans une perception toute « idéologique » justement.) Lorsque Marx analyse l'apparition des *quanta* de valeur, des *Wertquanta*, en précisant qu'elles sont produites « comme un langage » — *wie eine Sprache* [18] —, il ouvre au contraire les possibilités d'une analyse théorique des rapports entre les *corps* sociaux et leurs *émissions*.

Qu'on y prenne garde : une émission n'est pas un reflet. Elle le devient lorsqu'elle se heurte à un autre *corps*. Si l'on tentait d'user d'analogies optiques avec précision — puisqu'elles s'introduisent sans cesse dans le discours théorique, et que déjà elles sont présentes dans le mot « théorie » —, il faudrait montrer ce jeu de miroirs idéologiques qui se joue entre groupes ou classes ou corps sociaux affrontés. Jeu du *contre-miroir*, *Widerspiegelung*, pour reprendre le terme par quoi Engels, et plus rarement Marx lui-même, a esquissé cette optique sociale; et qui a trouvé sa formule outrageusement simplifiée dans l'affirmation selon laquelle le langage (la littérature) serait le reflet de la société [19]. Et si l'on touche à l'analogie — peut-être fondamentale en effet — entre émission lumineuse et émission de langue, il importe de ne pas omettre les « effets » de celle-là.

L'expérimentation de ces rapports, elle est là où nous la cherchons :

18 *Das Kapital*, I, 1.
19 « La littérature est l'expression de la société » — c'est la thèse qu'un conservateur, en 1807, oppose à Diderot et aux « horreurs de la Révolution » : un certain Petitot.

dans la constitution des champs de langage et leur référence — « narrative », justement — aux champs sociaux qui les produisent, et sur quoi ils produisent leur action. Le procès de cette *double production* est notre objet.

Dire que l'on va étudier l'avènement du Troisième Reich sur le terrain des classes sociales et de leur lutte, *et non* par le biais « formel » des langages, c'est ne dire rien. Car c'est précisément se priver du seul moyen de *vérification*, et d'exploration indéfiniment progressive, des hypothèses avancées. Du soutien apporté par les détenteurs du Capital à la NSDAP, il ne nous reste aucune « preuve », hors les discours écrits, ou les témoignages publiés. Puisque les comptes du « Maître du Trésor du Reich » nazi, le Reichsschatzminister Schwarz, ont été détruits soigneusement à la chute du Reich hitlérien (et encore constituaient-ils l'inscription d'une circulation économique sur le plan de l'écriture : le point de contact entre les langages lourds de l'économie et le langage), ce qui demeure livré à l'exploration n'est plus présent que dans les mémoires de Thyssen [20], dans les discours de Papen, de Schacht, de Göring, de Hitler lui-même à l'Industrie Klub le 27 janvier de l'année 32, ou dans le Palais Göring le 20 février de l'an 33. Ou encore, à un autre niveau qui touche des plans de narration idéologique plus doctrinale ou plus « littéraire » : dans la conférence de Carl Schmitt devant les honorables membres de « L'Union au Long Nom », sur le *totale Staat*. C'est dans ces langages que les coups de force au niveau de la métamorphose sémantique se découvrent comme préarticulés dans les couches plus profondes de la syntaxe politique. Quand, dans son Discours d'Essen aux ouvriers de Krupp, Göring s'écrie sans rire que Herr Krupp n'est autre que le type même de l'Ouvrier — de l'*Arbeiter* —, on pressent que pareil bon mot devant un auditoire de la Ruhr ne présuppose pas seulement une certaine forme de police : il faut qu'un prélangage, plusieurs fois *réécrit*, ait articulé déjà des structures de propositions telles que celles-ci :

— avec Spengler : — Tout Allemand [est] conservateur
— [Tout Allemand] est ouvrier —
— avec Jünger : — La nouvelle Race [se charge] de la Mobilisation totale
— [La Mobilisation totale] est la forme de l'Ouvrier —

Si à Essen en l'an 33 Monsieur Krupp n'*a* plus d'ouvriers, puisqu'il *est* lui-même par excellence l'Ouvrier allemand, c'est parce que moins de dix

20 *I Paid Hitler.*

ans plus tôt et non loin‾de là les *NS Briefe* des frères Strasser et de leur secrétaire de rédaction avaient commencé à réécrire — et à transformer — les propositions qui circulaient dans l'espace compris entre ce que nous décrivons de façon stylisée comme le pôle Spengler (Moeller) et le pôle Jünger (Niekisch). Ou encore : entre le pôle du *Ständestaat*, parlé à la Motzstrasse de Berlin, et celui de la *Räterepublik*, parlé à Munich dans le Soviet bavarois. Jamais le capitaine Göring, membre éminent du Club des Messieurs, n'aurait eu le loisir de constituer sa Police Secrète d'État, sans la préparation effectuée par le triumvirat d'Elberfeld — Gregor, Otto et Goebbels — dans la rédaction de leurs *Lettres*, et la syntaxe de leur narration : au niveau de l'acceptabilité de masse.

Est nécessaire ou inévitable, mais non suffisant, le recours à l'explication par les subventions du Grand Capital. Ainsi ce dernier, on le sait par le peu de documents dont on dispose sur ce terrain-là, a investi au début de l'année 30 de très larges sommes dans la *Konservative Volkspartei*, de façon privilégiée. La KVP n'obtient pourtant que quatre sièges aux élections, au moment où la NSDAP effectue son grand bond en avant jusqu'à cent sept députés. Parler ici, devant ces données, d'un « échec » du déterminisme économique est trop simple également. Car l'*argent* ne produit pas des *voix*, directement — bien que, dit Marx, l'argent (ou « l'or ») parle, et même «parle par toutes les langues» : *with every tongue* ou, dans la traduction Schlegel, *in jeder Sprache* [21]. La faillite électorale de la KVP est contemporaine de l'importance stratégique que revêt au même moment le pôle qu'elle désigne, et dont nous pourrions regrouper les composantes diverses sous le signe « HV ». Éditions Hanséatiques (HVA), financées par la DHV, ou syndicat des employés de commerce nationaux-allemands, députés conservateurs-populaires ou apparentés, qui siègent autour des représentants du Landbund ou Ligue des Agrariens : ce complexe idéologico-politique joue un rôle décisif dans les trois premières années 30, on le verra. Il est l'indice, tout d'abord, de la dislocation du conservatisme classique national-allemand, et le « signe caractéristique » de la coalition Brüning, qui va inaugurer l'usage d'un cabinet présidentiel; il est le point par lequel passe Edgar Jung pour entrer en relations avec Papen, et Herman Rausching, son ami du Club des Messieurs, pour entrer à la NSDAP. Et Hitler lui-même, pour être présenté au chancelier. Enfin le lieu « hanséatique »

---

21 Shakespeare, *Timon d'Athènes*, cité dans le *Manuscrit de 1844;* et dans *Das Kapital*, I, 3.

est celui qui va successivement éditer les livres de Carl Schmitt, de Forsthoff, d'Ernst Rudolf Huber, de Gerhard Günther, de Jünger lui-même — enfin de l'italien Bortolotto —, c'est-à-dire de la *série* même où la formule du *totale Staat* s'est développée. Le complexe HV, ce lieu qui s'articule un moment avec le langage lourd de la grande industrie, est aussi celui où le langage de l'État total articule son procès.

C'est dire qu'il faut entrer dans ce procès, dans ce procès fondamental de « narration », pour éclairer ce qui a lieu entre un certain langage lourd de l'économie et une certaine forme idéologique du pouvoir d'État, marquée du signe hitlérien. Entrer dans ce procès de langage n'est pas quitter le terrain des sociétés « réelles », des groupes sociaux en conflit et des classes en lutte; bien au contraire, c'est voir s'allumer ce terrain, de mille signes qui en indiquent les sillages — exactement comme les tracés *lumineux* de la chambre de Wilson permettent d'explorer les mouvements *matériels* des éléments. Bien plus : le langage appartient à la matérialité de la circulation sociale, tout signifiant (social) est, disaient les stoïciens déjà, un corporel. Le langage, privé de masse matérielle, est cette émission de la matérialité sociale qui, sur elle, ne cesse de produire des actions, synthèses vivantes ou blessures mortelles : photo-synthèse sociale ou effet de *laser* idéologique...

La surface sociale tout entière, ses classes et ses groupes s'éclairent au moment où s'allume à nos yeux l'idéologie allemande du Mouvement national [22]. Axe des classes moyennes (entre le signe HV et les signes du Mouvement Paysan); axe des groupes armés, entre les anciens combattants du Front, et les jeunes officiers schleicheriens et leur « Junge Front ». L'axe qui relie et oppose les mondains du *Herrenklub* (et du pôle JK) aux activistes du *Wiking Bund* (et du pôle NR), est aussi celui qui décèle les transmissions sémantiques entre la haute bourgeoisie et le « petit-bourgeois héroïque », à l'intérieur de ce qu'Engels appellerait la philistinerie allemande. L'axe « vertical » (völkisch-bündisch) des mythologies racistes et des mythes propres au Mouvement de Jeunesse est celui qui paraît « échapper » précisément aux rapports de classe, pour leur substituer stratégiquement les valeurs tout *imaginaires* de classes d'âge idéologiques — une sorte de rapport mythique jeunesse-ancêtres, par quoi certains mouvements du langage vont pouvoir passer : mouvements « sinusoïdaux », ou rotations *latérales* (Gauss), qui contribuent à rendre possible la redoutable oscillation du discours, à l'extrémité des pôles opposés de l'idéologie allemande.

---

22 Topographie qui sera explorée dans *Langages totalitaires*, Livre I.

Oscillation qui va faire de l'an 32 l'année la plus dangereuse de l'histoire mondiale.

Alors qu'en d'autres lieux les effets de l'oscillation économique et de la Grande Dépression ouvraient sur la période la plus « internationaliste » de l'histoire américaine, l'*oscillation de langues* va, dans le même contexte, produire en Allemagne l'effet H.

> Qu'on ne dise pas que la parole soit peu de choses en de tels moments. Parole et acte, c'est tout un. La puissante, l'énergique affirmation qui assure les cœurs, c'est une création d'actes; ce qu'elle dit, elle le produit.
>
> MICHELET,
> *Histoire de la Révolution française*, livre VIII, chap. III.

> La Russie tout entière apprenait à lire; elle lisait de la politique, de l'économie, de l'histoire... Et quel rôle jouait la parole! Les « torrents d'éloquence » dont parle Carlyle à propos de la France n'étaient que bagatelles auprès des conférences, des débats, des discours dans les théâtres, les cirques, les études, les clubs, les salles de réunion des Soviets, les sièges des syndicats, les casernes. On tenait des meetings dans les tranchées, sur les places des villages, dans les fabriques.
>
> JOHN REED,
> *Dix jours qui ébranlèrent le monde*, chap. I.

Aussi violente, aussi décisive à l'échelle planétaire qu'ait pu être la catastrophe de l'an 33, on souhaiterait, encore une fois, que pareille prise méthodologique puisse s'effectuer sur une révolution progressive et libératrice, plutôt que sur une contre-révolution et une régression. En s'attachant aux révolutions de la libération prolétarienne, à l'Octobre russe, à la Révolution Culturelle chinoise — au Discours sur la Moncada, texte initial de la révolution cubaine, et décrit ironiquement par son auteur comme un récit épique, un « narrativo épico » — un biais semblable permettrait d'explorer de façon exacte l'articulation de l'histoire et le pouvoir de la narration. Par delà les deux écueils symétriques — la conception naïvement mécaniste du « déterminisme économique », attribuée à Marx par erreur, et le culte du « texte », forme à peine modernisée du vieux culte des « héros » — une méthode capable de s'avancer sur deux versants, à la fois *sociologie* des langages et sémantique de l'*histoire*, s'engagerait à déchiffrer la matérialité du sens, là où ce sens vient justement, selon le mot de Pasternak, remplir le siècle entier.

On voudrait également qu'elle soit à même de mettre à nu le procès qui a pu produire les maladies de ce sens-là, dans ce que le XXᵉ Congrès du parti léniniste a convenu d'appeler par litote le culte de la personalité. Quelles que soient certaines massives ressemblances au niveau des séquences terminales — systèmes concentrationnaires, exécutions en chaîne, exterminations arbitraires et massives, purges ou nuits des longs couteaux —, il faudrait prendre à la lettre une différence sémantique, que les historiens, surtout anglo-saxons, ont choisi très souvent de juger mineure. Pourtant même un émigré antisoviétique [23] l'avait souligné dès les années 30 : l'État qu'a fondé le parti bolchevik ne *s'est nommé* à aucun moment « totalitaire ». Quand, après la guerre, Jdanov, porte-parole de la répression idéologique en l'ère stalinienne, y insistait à son tour au congrès de fondation du Kominform [24], il ne se livrait pas à un exercice d'humour noir : ce trait négatif appartient effectivement à la constellation, et ne doit à aucun moment rester inaperçu, pour qui veut avoir quelque chance de saisir l'engendrement des structures effectives du pouvoir par le procès fondamental qui les porte.

L'OSCILLATEUR DE LANGUES : LE MODÈLE ITALIEN

Auprès des grandes exterminations, le phénomène italien de « l'État totalitaire » peut sembler presque anodin. Pourtant c'est là, là et non ailleurs, qu'il surgit dans le langage. Et il surgit précisément dans le champ d'un oscillateur de langages au fonctionnement bien précis. A cet égard, et dans le mouvement qui le constitue, le *stato totalitario* italien est bien le prototype du *totale Staat* : avoir pris pour fil conducteur le *critère de l'explicite* se révèle payant. L'éclateur idéologique qui fonctionne à son point de départ a même un nom bien défini : c'est le sorelisme. Et un lieu bien

---

23 B. Vyscheslavzev, *Marxismus, Kommunismus und totaler Staat*, 1937, p. 104.
24 « La situation internationale : Rapport lu à la Conférence d'Information des délégués de divers partis communistes, de Pologne, fin septembre 1947 » (Pravda, 22, 10.1947). Traduit dans « La Documentation Française », Ministère de la Jeunesse des Arts et des Lettres, 8.11.1947, p. 6 : « Les impérialistes américains, ... démontrant leur ignorance, tentent de présenter l'Union soviétique comme un pays avant tout totalitaire et anti-démocratique ». P. 7 : « pression continue sur les États de démocratie nouvelle et s'exprimant par de fausses accusations de totalitarisme. »

déterminé : les syndicats de l'*Unione Sindacale*, à l'extrême-gauche de l'éventail politique. La campagne pour l'intervention de l'Italie aux côtés de l'Entente, la querelle de l'interventisme fait éclater le mouvement syndical sorelien : les anarchistes, les futurs communistes comme De Vittorio [25], demeurent sous les signes de l'extrême-gauche et de l'antimilitarisme — d'autres, à l'Unione Sindacale, comme Michele Bianchi, Edoardo Rossoni, Amilcar De Ambris passent par degrès dans une zone d'abord indéterminée, qui va devenir l'extrême-droite. L' « archange » du syndicalisme révolutionnaire de marque sorelienne, l'animateur du *Fascio d'Azione Diretta* dans les grèves de 1912, Corridoni, a été tué au front : le fascisme donnera son nom à son village natal, Corridonia.

Une fois entrés ainsi à leur insu dans l'orbite de ce qui est nommé parfois le *movimento nazionale*, les activistes du syndicalisme révolutionnaire, futurs fondateurs des Corporations syndicales fascistes, y retrouvent les ultra-conservateurs de l'Association nationaliste : Corradini, Federzoni, Rocco. Ceux pour qui la violence de la guerre (nationale) doit mener à celle de la révolution (sociale) rejoignent ceux pour qui la guerre (impériale) est *déjà* la révolution (nationale). Ceux-ci énoncent déjà le langage à venir de Rosenberg : « Août 1914 [: avril 1915, pour les interventistes italiens] est le commencement de la Révolution allemande. »

C'est dans cette polarité que prend forme ce qui n'est pourtant encore, en mars de l'an 19, qu'une farce futuriste [26] : le PNF, le partito nazionale fascista. Sur son axe pour ainsi dire vertical, on retrouverait à la base les Hugenberg de la politique italienne, les vieux messieurs nationalistes proches de la grande industrie, dans le style de Salandra, l'homme du *Fascio parlamentare* [27], et du télégramme de la « Confindustria » pendant la Marche sur Rome — et au sommet, dans l'air léger de l'imaginaire politique, l'équivalent des Bündische» du style George ou des expressionnistes de droite, les hommes de D'Annunzio et les futuristes du *Fascio futurista* [28]. D'Annunzio, ce serait un Stefan George qui aurait inventé les symboles de la pratique : la chemise noire, le salut romain, les corporations — et la « rivoluzione nazionale ».

---

25 Secrétaire général de la CGIL après la deuxième guerre mondiale.
26 Les futuristes de Marinetti constituent près de la moitié des présents, à la première réunion « fasciste » de mars 19.
27 Fascio parlamentare di difesa nazionale.
28 Fascio politico futurista.

On retrouve donc la rose-des-vents idéologique du Mouvement national, et l'oscillateur sémantique du fer-à-cheval des partis, dans le modèle italien. L'oscillateur est également ce par quoi est transformé ou plus exactement, et au sens algébrique, *transmué*, le langage de la révolution en celui du conservatisme — et par cet « opérateur de passage », pourrait-on dire, qu'est l'énoncé fondamental[29] : la Guerre c'est la Révolution.

C'est par cet énoncé que s'opère la transformation du *Fascio d'Azione diretta* de l'avant guerre sorelien en *Fascio di combattimento fascista* de l'après-guerre : par le passage du *Fascio interventista di azione rivoluzionaria*. La transmutation du « Fascio », d'une forme dans l'autre et par l'opération d'un troisième, — puis (ou en même temps) la rotation oscillante entre ses quatre versions : F. « rivoluzionario », F. « di combattimento », F. « parlamentare », F. « futurista » — voilà l'opération de type matriciel, et voici le champ vibratoire, à travers lesquels la langue produit de l'histoire à l'état naissant.

LE RÉFÉRENT ABSOLU

Bien qu'il ne fasse plus peur, et passe pour simplement risible, le fascisme italien n'est pas seulement le lieu où s'est inventé l'adjectif « totalitario » : par lui la narration de la guerre mondiale est devenue un transformateur de langages. A cet égard et dans l'usage le plus puéril de ses cris de guerre — *all' armi siam' fascisti* —, la prétention par exellence du fascisme a été récompensée, qui est d'user sans réserve de la référence dernière du langage : à la mort.

La formule développée du Mouvement national est donnée par Göring dans son Arrêté du 17 février de l'an 33. Dès le 7 il s'adressait oralement à la police de Prusse, pour annoncer qu'il couvrirait quiconque serait amené à « tirer son arme » dans le combat « *contre la pègre et la canaille internationale* » ou, en plus clair langage, contre ce qui se nomme alors les partis social-démocrate et communiste allemands. Avec l'Arrêté il passe à l'écriture, pour préciser que la police doit éviter toute poursuite contre les « associations nationales », SA, SS et Casque d'Acier, mais doit en revanche, si nécessaire « faire usage de ses armes sans ménagement ». Celui, à l'inverse, que « de faux scrupules » a pu amener à « se dérober » doit s'attendre à des poursuites pénales. Le titre sous lequel le Ministre de l'Intérieur de Prusse

---

29 V. Annexe de *Langages totalitaires*, Livre II.

publiera son texte — Arrêté sur « l'accélération du Mouvement national » : *Förderung der nationalen Bewegung* — vient achever les séquences de langue déployées de Gleichen à Jünger, en passant par Hugenberg, et du « *Ring* » au « *Vormarsch* » en passant par la chaîne de presse des nationaux-allemands. Cet achèvement s'effectue en se rapportant au pouvoir de donner la mort : au *Todeskampf*, que raconte plus clairement encore le Discours de Francfort du 3 mars, le combat à mort « dans lequel je pose mon poing sur vos nuques ».

La majorité socialiste et la minorité communiste des ouvriers de la Ruhr vont avoir droit désormais à un Commissaire spécial pour les provinces de Rhénanie et Westphalie », maintenu sur leur nuque par le poing du ministre, pour lui permettre d'opérer plus radicalement cette combinaison de langues qui transformera Krupp en type idéal de l'Ouvrier allemand. Là où — assurait Krieck le Jeune-conservateur, devenu nazi — il n'y a plus d'énoncé « vrai », où le Mythe insurgé a triomphé du Logos et de l'opposition vrai-faux; où toute vérification des énoncés est frappée d'interdit; où ne subsistent plus que les déplacements accélérés des récits idéologiques et de leurs référents, les uns par rapport aux autres, — seule demeure la mesure « dernière » que donne le rapport au référent absolu, auprès de quoi tout énoncé peut atteindre la limite d'une sorte de valeur infinie : la mort.

L'énoncé qui se rapproche le plus aisément du référent absolu, c'est étrangement le plus irréel, celui qui se meut sur l'axe des imaginaires idéologiques : celui dont Himmler va devenir l'émetteur fondamental. Himmler, l'ancien Artaman, « combinaison de *Wandervogel* [30] et de pédagogue raté », notait Eugen Kogon. On pourrait préciser plutôt : combinaison de Migrateur *bündische* et de sectaire *völkische* — et une telle combinaison se révèle celle qui porte le plus volontiers la mort avec ses énoncés. La tâche la plus urgente étant de découvrir « tous les ennemis du national-socialisme, déclarés ou non », et de « les anéantir », pour cela, assurait-il dès le commencement avec une lourde ironie, nous sommes prêts à verser, non seulement notre sang, « mais aussi celui des autres » . Le Discours de Posen racontera sans honte en pleine guerre mondiale de quelle façon, et en vertu de quels critères fondés sur une sorte de hiérarchie imaginaire dans l'animalité, le sang d'autrui s'est trouvé versé par lui à une échelle

---

30 Oiseau-Migrateur, organisation initiale du « Mouvement de Jeunesse » allemand, de ce qui deviendra la « Bündische Jugend » (v. *Langages totalitaires* Livre I, Partie I, Section IV).

jusqu'alors inconnue. Le discours himmlérien ne connaît guère d'autre référent que celui-là : l'anéantissement.

Avec l'hagiographe de Göring, Gritzbach qui louait en lui le *discours* « conservateur-révolutionnaire », un homme de l'entourage de Himmler avait écrit la liste de proscription, pour la nuit de juin : liste qui anéantissait les langages opposés d'Edgar Jung et des papeniens, d'une part, de Röhm et des strasseriens de la SA, de l'autre. C'est Theodor Eicke, promu peu après Chef de l'Inspection des camps de concentration [31]. Celui-là devait recevoir l'investiture himmlérienne pour constituer, après l'écrasement des SA, les formations SS à « Tête de Mort ». Tandis que les membres honorables de la société allemande, tels Karl Anton Prinz Rohan, et Alfried Krupp, ou certains habitués du Club des Messieurs, entraient volontiers dans les rangs de la « SS générale », l'*Allgemeine SS*, au moins jusqu'à l'année 36 — les survivants parmi les activistes du Baltikum ou des corps-francs, tel que Höss, futur commandant d'Auschwitz, allaient rejoindre des recrues de toute provenance pour former la *Totenkopf SS*. Ces derniers allaient être, dans l'empire littéral de « l'Office de gestion économique », les habitants privilégiés de ces espaces que désigne étrangement pour nous désormais le mot « concentration ». Là, entre les barbelés et les tours à l'extérieur du camp, va passer une bande de terrain large de quelques mètres, que l'on nommera *Zone neutre*, et sur laquelle en permanence projecteurs et mitrailleuses sont braqués. Là autour, auprès des barbelés et dans les tours, habitent de façon privilégiée les hommes à tête de mort, et là aussi viennent cesser toutes les combinaisons de la langue et de la narration.

Quelques naïfs ont cru bon de sourire, lorsque des marxistes révolutionnaires — et cela dans la capitale de la science du langage et de sa fondation théorique — ont introduit dans la langue du socialisme scientifique la référence au visage humain. Sans doute oubliaient-ils de se regarder eux-mêmes dans les jeux de miroir du langage, par crainte d'y percevoir la tête de bœuf sur corps d'homme, envisagée déjà par un présocratique. Leur dénégation portait en même temps à son insu sur un fait surprenant et simple : que la *langue* est ce muscle fragile et flexible, attaché sur les bords

---

31 « Des figures telles que celles d'Eicke ou de Pohl étaient d'une autre espèce... c'étaient d'énormes rouliers, Maîtres pour ceux d'en dessous, Vassaux pour ceux d'au-dessus, et qui fournissaient tout le nécessaire pour construire et conserver en état l'universel pénitencier. » (Eugen Kogon, *l'État SS*).

du visage d'homme, et capable d'articuler matériellement, comme monde, les différences des choses.

Face au visage et face à la langue en effet, les corps à tête de bœuf ou à tête de mort ne saisissent volontiers que les lisières de la *Zone neutre,* où langage et vue tendent vers leur valeur nulle. Cette lisière est celle, en même temps, que Marx haïssait en priorité, où les esclaves tuent les esclaves pour le maître : par la servilité. Mais face à la force armée et servile, celui que Bataille nomme l'homme de la tragédie, meurt, comme le « Che », avec un visage inoubliable.

Parcourir, à partir de l'énoncé totalitaire primitif, le procès fondamental de narration qui, inlassablement à l'œuvre sur les langues, les compose et les combine, pour en venir éventuellement à déboucher sur la *zone neutre* du langage, vide et qui frappe à mort, — cela demande de garder les yeux fixés sur

« tout ce qui ressemble au visage humain, et à ses expressions de désir avide ou de défi heureux devant la mort[32] ».

Les têtes sans visage — « les têtes sans cervelle des unités Tête de Mort » — ont été ce lieu où certaines formes dans l'entrecroisement des versions idéologiques ont abouti.

Lieu nul, que la narration de l'histoire doit porter et dénuder.

Et voici ce qui importe : le *récit qui rend compte* de la façon dont s'est faite acceptable l'oppression, commence la libération.

32 Bataille, juillet 1938, « Pour un Collège de Sociologie ».

INDEX

COLLECTION SAVOIR

Oswald Ducrot
DIRE ET NE PAS DIRE
Principes de sémantique linguistique

La comparaison, trop commode, du langage avec un code, amème à penser que la fonction fondamentale de la communication linguistique est la transmission d'*informations*. On est alors conduit à croire que tout ce qui est dit l'est au même titre, avec le même statut d'assertion.
En fait les diverses indications qu'apporte un acte d'énonciation se situent souvent à des niveaux tout à fait différents. Il y a ce dont on entend explicitement informer l'auditeur, mais il y a aussi ce qu'on présente comme un acquis indiscutable dont on fait le cadre du dialogue. Et il y a enfin ce qu'on laisse à l'auditeur le soin de deviner, sans prendre la responsabilité d'avoir dit.
Une sémantique qui s'en tiendrait au niveau de l'explicite serait totalement artificielle : elle rendrait incompréhensible le discours, l'activité effective accomplie au moyen de la *parole*. Mais surtout elle défigurerait la *langue* elle-même ; c'est en effet un trait inhérent à la langue et un de ses traits les plus constants et les plus fondamentaux, de permettre aux interlocuteurs d'instituer entre eux un réseau de rapports implicites.

John R. Searle
LES ACTES DE LANGAGE
Essai de philosophie du langage

Les individus communiquent, disent des choses, posent des questions, donnent des ordres, font des promesses, présentent des excuses... Ils ont parfois l'intention de signifier réellement ce qu'ils disent.
Pour l'auteur, parler une langue, c'est adopter un comportement, accomplir des actes de langage conformément à des règles complexes. Si le langage est un comportement, il doit être abordé par le biais d'une théorie des actes de langage, qui rejoint ici une théorie de l'action.
Sous cet angle, cette recherche est complémentaire de celle de Chomsky, dans la mesure où celui-ci écarte de sa description de la langue le contexte extra-linguistique et même la fonction de communication, essentielle pour Searle.
A travers ces conventions extra-linguistiques qui gouvernent l'usage des expressions dans des contextes donnés, on peut distinguer les relations entre ce qui est dit, ce que cela veut dire, ce que veut dire celui qui parle, etc...
Utiliser le langage et parler c'est donc s'engager, assumer des obligations. Ignorer cet emploi «engagé» des mots, c'est ignorer le langage lui-même.

IMPRIMÉ EN FRANCE, FIRMIN-DIDOT, PARIS-MESNIL-IVRY
DÉPOT LÉGAL DEUXIÈME TRIMESTRE 1972 : 9532 NUMÉRO D'ÉDITION 5695
HERMANN, ÉDITEURS DES SCIENCES ET DES ARTS